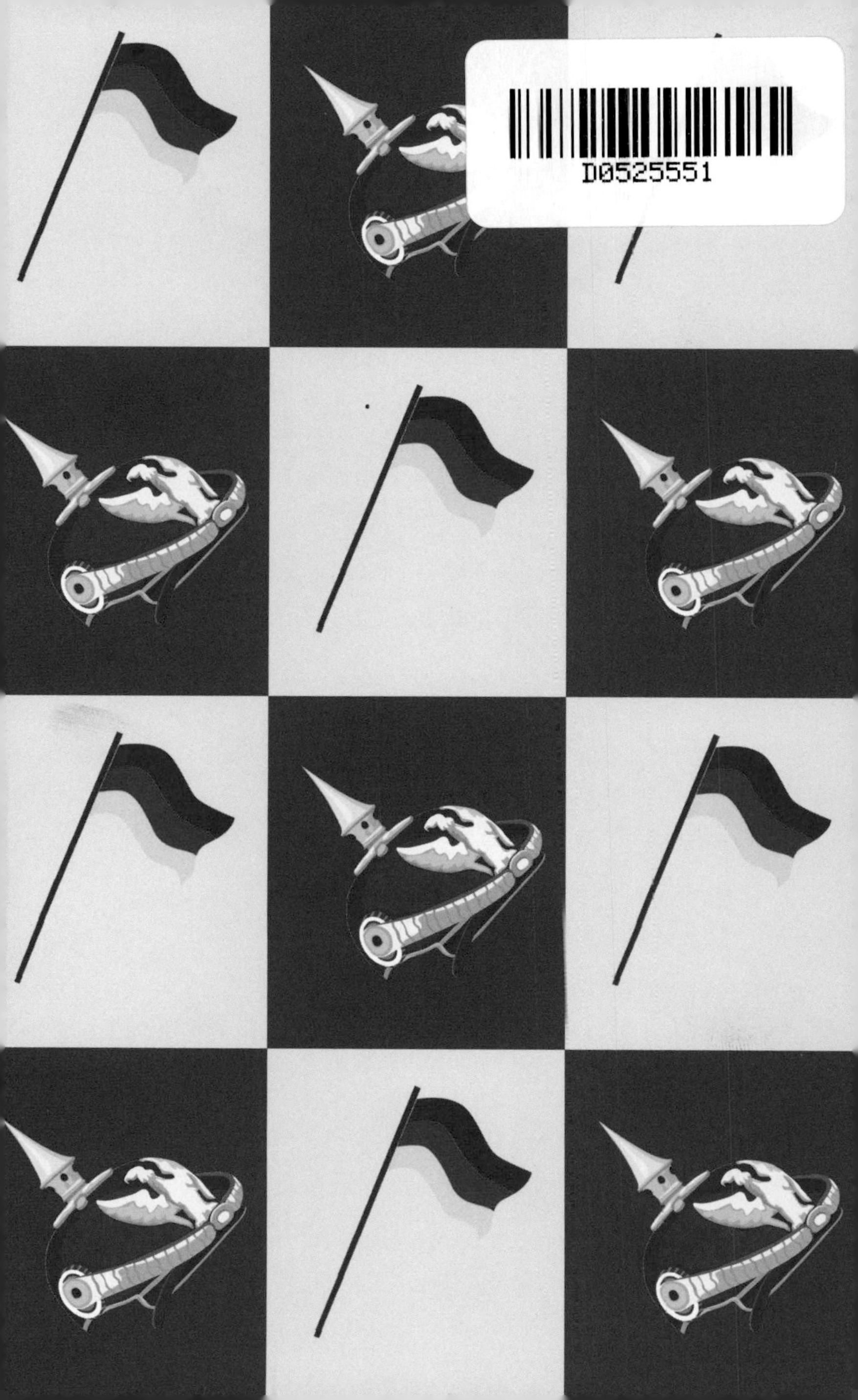
D0525551

ullstein

Das Buch

Times-Korrespondent Roger Boyes lebt seit vierzehn Jahren unter den *Krauts*, gewöhnt hat er sich an dieses Land jedoch nicht. Im Gegenteil: Die meisten hiesigen Sitten und Bräuche erscheinen ihm als Engländer höchst wundersam: Wieso müssen die Deutschen ständig nörgeln – und sind unfähig, einen vergnüglichen Small Talk übers Wetter abzuhalten? Warum drängeln sie sich in Schlangen so oft vor? Und weshalb ist der Gerichtssaal die natürliche Verlängerung des deutschen Gartens? Mit viel Witz und scharfer Beobachtungsgabe schildert Boyes die Absonderlichkeiten des germanischen Alltags und liefert so eine unverkrampfte anthropologische Betrachtung über den Deutschen an sich.

Der Autor

Roger Boyes wurde 1952 in Hereford/England geboren. Er studierte Theologie, Germanistik und Politikwissenschaft, arbeitete als Journalist in Warschau, Moskau und Rom u. a. für Reuters und die *Financial Times*, seit 1999 ist er Deutschland-Korrespondent für die Londoner *Times*. Im *Tagesspiegel* erscheint alle zwei Wochen seine Kolumne "My Berlin". Sein erstes Buch *My dear Krauts* war monatelang auf der Bestsellerliste. Boyes lebt in Berlin.

Roger Boyes

How to be a Kraut

Leitfaden für ein wunderliches Land

Aus dem Englischen von
Axel Henrici und Tanja Handels

Mit Illustrationen von
Isabel Klett

Ullstein

Besuchen Sie uns im Internet:
www.ullstein-taschenbuch.de

Umwelthinweis:
Dieses Buch wurde auf chlor- und säurefreiem Papier gedruckt.

Originalausgabe im Ullstein Taschenbuch
1. Auflage Dezember 2007

Umschlaggestaltung und Gestaltung des
Vor- und Nachsatzes: Sabine Wimmer, Berlin
Titelabbildung: © Isabel Klett
Satz: LVD GmbH, Berlin
Gesetzt aus der Excelsior
Druck und Bindearbeiten: Ebner & Spiegel, Ulm
Printed in Germany
ISBN 978-3-548-36961-7

Inhalt

Vorwort

Ursprünglich wollte ich ja ein Handbuch für illegale Einwanderer verfassen. Für den bedauernswerten blinden Passagier aus China, der, halb erstickt, von der Ladefläche eines T. I. R.-Lasters in ein fremdes Land taumelt und als Erstes von einem Schild mit der Aufschrift »Rasen betreten verboten« begrüßt wird. Darunter vielleicht noch ein paar Bildchen, die ihm klarmachen, dass er den städtischen Park zudem weder mit einem Eis noch auf Rollerblades noch in Begleitung eines Hundes betreten darf. Wahrscheinlich sucht sich unser fiktiver Chinese daraufhin erst mal eine Parkbank, holt tief Luft und fragt sich besorgt: »Wie soll ich bloß jemals ein Deutscher werden? Wie soll ich mich hier bloß tarnen?«

Das schien mir eine sehr vernünftige Frage, die dringend einer Klärung bedurfte. Schließlich wäre es doch jammerschade, wenn der chinesische Einwanderer die einmalige Gelegenheit, eines Tages ein ausländischer Mitbürger zu werden, sausenließe und wieder in seinen T. I. R.-Laster klettern würde, um sich zurück nach China schmuggeln zu lassen. Beim Verlag waren sie dann allerdings der Ansicht, das sei ein etwas geschmackloser Ansatz, und natürlich hatten sie damit vollkommen recht. Sie haben sowieso immer recht. Und schließlich brauchen ja nicht nur orientierungslose Einwanderer Unterstützung dabei, gute Deutsche zu werden, sondern auch die Deutschen selbst. In den vielen Jahren, die ich jetzt schon hier bin, habe ich gelernt, die Deutschen zu schätzen und zu bewundern. Sie sind mir so sehr ans Herz gewachsen, dass ich ihren Schmerz häufig schon als meinen eigenen empfinde. Ich denke da etwa an die 1:5-Niederlage gegen England bei der ersten englisch-deutschen Fußball-Begegnung im 21. Jahrhundert.

In all den Jahren habe ich allerdings nie ganz begriffen, wieso Deutsche ständig nach Anerkennung von Ausländern lechzen. Ich bezeichne das immer als das »War ich gut?«-Syndrom, in Anlehnung an die besorgte Frage, die so viele deutsche Männer nach einer Liebesnacht stellen. Die Außenwelt – allen voran Großbritannien – weiß wenig über Deutschland und interessiert sich auch nicht groß dafür. Und dennoch wird man als Ausländer ständig aufgefordert, über deutsches Verhalten zu urteilen – als würde man von den Deutschen selbst zum Geschworenen berufen.

Wie dem auch sei, das vorliegende Buch, *How to be a Kraut*, möchte jedenfalls kein Urteil über die Deutschen fällen. Es enthält lediglich ein paar unverkrampfte anthropologische Beobachtungen. Dabei verfüge ich über keinerlei einschlägige wissenschaftliche Qualifikationen, sondern bin einfach nur in den vielen Jahren, die ich jetzt schon in Deutschland lebe und arbeite, ganz nebenbei zum Krautologen geworden.

Natürlich kann man die Deutschen nicht studieren, ohne gelegentlich auf Klischees und Karikaturen zurückzugreifen. Unsinnige Klischees sterben ohnehin nach einiger Zeit aus, wie bedrohte Tierarten. Die Klischees, die weiterleben, enthalten meist auch ein

Körnchen Wahrheit. Und es ist immer der Mühe wert, dieses Körnchen aufzuspüren. Mir geht es wie Jerome K. Jerome beim Verfassen von *Drei Männer auf Bummelfahrt:* Auch er empfand eine tiefe Zuneigung für die Deutschen. Als er aber ihre Qualitäten loben wollte, stellte er fest, dass er um die Klischees beim besten Willen nicht herumkam.

»Die Deutschen sind ein gutes Volk, vielleicht das beste der Welt – liebenswert, selbstlos, voller Güte. Bestimmt kommen die meisten in den Himmel. Wenn man sie mit den anderen christlichen Nationen der Welt vergleicht, möchte man meinen, daß der Himmel sich hauptsächlich aus Deutschen rekrutiert.«

So weit, so gut. Doch dann gerät Jerome ins Zweifeln:

»Unklar ist mir nur, wie sie hinkommen. Daß die Seele eines Deutschen regsam genug ist, auf eigene Faust hochzufliegen und an die Himmelstür zu klopfen, kann ich mir nicht vorstellen. Ich denke mir, daß sie in kleinen Gruppen unter der Obhut eines toten Polizisten nach oben gebracht und eingelassen werden.«

Jeromes Buch war in Deutschland sehr erfolgreich – warum, liegt auf der Hand. Schließlich haben die Deutschen selber die Briten immer wieder nachdrücklich dazu ermuntert, sich mit gezielten humoristischen Übertreibungen freundlich über ihr Land lustig zu machen. Das ist eine leichtverdauliche Form der Kritik: eine Art verdrehtes Kompliment. Die Briten selbst reagieren dagegen schwer allergisch auf Klagen oder humoristische Seitenhiebe aus dem Ausland. Sobald er sich gegen uns richtet, verstehen wir absolut keinen Spaß mehr. Nur ein einziges Mal haben wir zugelassen, dass uns ein Ausländer zum Affen macht, und das war 1946, als der Ungar George Mikes sein Buch mit dem Titel *How to be an Alien* verfasst hat. Verziehen haben wir das Mikes allerdings nie und ihn zur Strafe zum britischen Staatsbürger gemacht.

Mir gefällt der Gedanke, dass *How to be a Kraut* in der Tradition von Jerome und Mikes stehen könnte. Die Deutschen sind mir über die Jahre hinweg stets sehr gute Freunde gewesen, und ich habe ihre Ratschläge immer dankbar angenommen, auch wenn es häufig ein paar zu viele waren. Jetzt möchte ich diese Freundschaft missbrauchen und ein paar grundsätzliche deutsche Verhaltensweisen aufs Korn nehmen, die mir schon immer ein Rätsel waren. Warum sind Deutsche so exhibitionistisch, während Briten auch in der Sauna ihre Badehose tragen? Was ist aus dem vielgeschmähten DDR-Kellner geworden? Warum sind es immer die Deutschen (und nicht etwa die Franzosen, von denen man das doch eigentlich erwarten sollte), die sich am Skilift vordrängeln – und wie gehen wir anderen damit um? Warum nehmen deutsche Männer vor dem Sex immer die Armbanduhr ab? Und warum sind Deutsche so viel weniger scheinheilig als Briten? Sind sie am Ende ehrlicher, als ihnen guttut?

Es ist durchaus möglich, dass sich ein paar deutsche Leser über dieses Buch schwarzärgern werden.

Ehrlich gesagt, das hoffe ich sogar.

Deutsch für Engländer

Angst: Was wäre Woody Allen ohne sie?

Blitzkrieg: Dieser Ausdruck kommt stets dann zur Anwendung, wenn England irgendwo besiegt wird. Zum Beispiel bei einem Fußballspiel gegen Deutschland. Hat zumeist den Unterton: »Wir sind gelinkt worden.«

Carrera: Porsche-Modell, das gern von Londoner Zahnärzten gefahren wird.

Doppelgänger: Jeder Engländer, der vom Arbeiten, Leben und Pendeln die Nase voll hat, wünscht sich einen, der ihm den Alltag abnimmt. Die Queen hat angeblich gleich zwei davon.

Ersatz: Im Deutschen ruft das Wort eher negative Assoziationen hervor (»Ersatzkaffee«). Es deutet an, dass etwas nicht authentisch und daher minderwertig ist. Im Englischen dagegen ist das *ersatz car* – das man zum Beispiel nach einem Unfall bekommt – oft besser als das frisch demolierte Fahrzeug auf dem Seitenstreifen der M25.

Führer: Bezeichnung für jede Art von Knallcharge, die einen herumkommandiert. Parkuhr-Kontrolleure nennt man z. B. gerne *tinpot fuehrer* (frei übersetzt: »Westentaschendiktator«).

Gemütlich: Dieses Wort haben Skiurlauber aus Mittenwald nach Croyden mitgebracht: Es weckt Erinnerungen an einen überhitzten Gasthof, in dem es nach Glühwein riecht und dessen Wand ein röhrender Hirsch ziert – zum Glück nur gemalt. Beste Entsprechung im Englischen: *cozy*.

Hinterland: Ausdruck des Respekts für jemanden, der tatsächlich mehr als drei Bücher gelesen hat. So sagt man z. B. über jemanden, der gerade eine Lacan'sche Analyse von Dan Brown hingelegt hat: *He has an intellectual hinterland.*

Junkers: Ursprünglich die Bezeichnung für ein von den Briten sehr bewundertes Jagdflugzeug aus dem Zweiten Weltkrieg. Inzwischen steht der Name auch auf britischen Durchlauferhitzern, um deren Besitzern weiszumachen, die Geräte wären in Deutschland hergestellt und würden daher auch richtig funktionieren.

Kitsch: Die Inneneinrichtung von Leuten, die man nicht mag.

Mensch: Im Englischen ist ein »Mensch« jemand, den man mag und der zu seinen Schwächen steht. »Als Bill und ich letztens einen trinken waren, hat er mir erzählt, dass er früher seine Frau geschlagen hat, aber jetzt hat er sich einen Hund aus dem Tierheim geholt – *he's a real mensch.*«

Nazi: Jemand, von dem man sich sagen lassen muss, wo's langgeht. Die Moderedakteurin der *Vogue* ist zum Beispiel ein *fashion nazi,* weil sie Ihnen erzählt, Ihre 1500 Euro teure Gucci-Tasche wäre »out«.

Osnabrück: Historisch bedeutsame Stadt in Niedersachsen. Zwei Generationen britischer Wehrpflichtiger verloren dort in den fünfziger und sechziger Jahren ihre Unschuld.

Poltergeist: Etwas, das Ihre Bude noch mehr auf den Kopf stellt als Ihr pubertierender Nachwuchs.

Quisling: Okay, eigentlich kein richtiges deutsches Wort, aber fast. Wird heutzutage verwendet, um Bürokollegen zu charakterisieren, die mit dem Chef zu Mittag essen, ihn ständig anlächeln oder auf seinen Hund aufpassen.

Rucksack: Bevorzugtes Gepäckstück von Selbstmordattentätern in der Londoner U-Bahn.

Schadenfreude: Was die Briten empfinden, wenn bei »Pop Idol«, dem britischen Pendant zu »Deutschland sucht den Superstar«, ein verhasster Kandidat ausscheidet.

Turnverein: Kniebeugen, behaarte Brust, Atemübungen und Mineralwasser. So lobten wir uns früher unsere Deutschen.

Über- und *Unter-*: *Über* ist *die* angesagte Vorsilbe im Englischen. Unbeliebte Frauen werden gern als *überbitches* bezeichnet. Der *untergang* (wie in *Tony Blair's political untergang*) hat in den englischen Sprachschatz Eingang gefunden, seit Bruno Ganz uns gezeigt hat, dass Hitler nicht nur *bad* war, sondern auch *mad* und *sad*.

Verboten: »Smoking is verboten«, sagt der britische Barmann. Aber warum bedient er sich dazu einer deutschen Vokabel? Vielleicht, weil explizite Verbote früher eine teutonische Spezialität waren. Die Briten gingen einfach automatisch davon aus, dass man in der Kirche kein Eis isst und in der Öffentlichkeit nicht die Hosen herunterlässt. Heutzutage ist so etwas keine Selbstverständlichkeit mehr, weshalb wir überall Schilder aufhängen. Wie die Deutschen müssen wir plötzlich buchstabieren, was V-E-R-B-O-T-E-N ist.

Weltschmerz: Lässt sich nicht wie Zahnschmerz mit Aspirin kurieren. Das Einzige, was hilft, ist, im Bett liegen zu bleiben und sich in seinem Kummer zu suhlen. Englische Philosophen finden zunehmend Gefallen an diesem Konzept.

Jodeln (im Englischen *yodelling* geschrieben): Merkwürdiger Laut, der oft in den Alpen zu hören ist. Klingt wie ein Kater, der gerade kastriert wird. Gerüchten zufolge soll Heidi Klum beim Sex jodeln.

Zeitgeist: Nicht zu verwechseln mit Melissengeist. Die Briten verwenden den Begriff adjektivisch. *Damien Hirst is a very zeitgeisty artist*. Das Wort ließe sich leicht als *spirit of the times* ins Englische übersetzen. Aber mal ehrlich, wie so viele andere deutsche Wörter klingt »Zeitgeist« doch viel raffinierter.

Eine kurze Geschichte des Handtuchkrieges

Hunde markieren ihr Revier, indem sie ein Bein heben oder – weiblichenfalls – wie Sumoringer in die Hocke gehen. Deutsche legen Handtücher aus. Das fängt bereits in der Sauna an. Normalerweise gibt es in so einer Sauna vielleicht fünf oder sechs Liegestühle. Spätestens Samstag früh um zehn liegt über jedem dieser Liegestühle ein Handtuch. Und obwohl vor drei Uhr kein Mensch aufkreuzt – schließlich müssen Ulli, Gabi, Bernd, Paul und Uschi erst noch in den Baumarkt fahren, Wasserkisten in die Küche schleppen und den Rasen mähen –, bleiben die Liegen während dieser Zeit reserviert. Dasselbe Prinzip gilt auch für jeden hoteleigenen Swimmingpool in der westlichen Hemisphäre. Gelegentlich sind ganze Inseln – Mallorca, Bali – von deutschen Strandtüchern bedeckt.

Die Briten sehen darin einen Beweis für die deutsche Okkupations-Besessenheit: Kaiser Wilhelms Forderung nach einem Platz an der Sonne. Doch der Kaiser war nur deshalb auf Kolonien aus, weil die Briten bereits über ein Empire verfügten. Deutschland war eine verspätete Nation und hatte daher einiges aufzuholen. Folglich beschlossen die Deutschen, nie wieder zu spät zu kommen. Und so kommt es, dass deutsche Urlauber schon um sechs Uhr morgens, wenn die englischen Touristen noch ihren Rausch ausschlafen, zum Pool eilen und ihre Handtücher auslegen. Um 7.40 Uhr machen sie sich auf den

Weg zum Frühstücksbüfett, damit sie auch ja noch was vom Räucherlachs abkriegen, der immer so schnell alle ist. In den Brusttaschen ihrer Hemden tragen sie kleine Notizbücher: Mit ein wenig Glück werden sie ein paar Silberfische erspähen und so nach ihrer Rückkehr den Reiseveranstalter verklagen können.

Unterdessen starten die Engländer um neun Uhr träge in den Tag, ohne zu ahnen, was sie schon alles Aufregendes verpasst haben. Sie können zwar schwimmen gehen, aber dank der deutschen »Operation Sonnenaufgang« bleibt es ihnen verwehrt, am Pool zu liegen. Und so sind sie dazu verdammt, zu bleiben, was sie sind: eine blasse Rasse.

Zeitungsberichten zufolge reagierten englische Touristen an der Costa del Sol einmal auf dieses Dilemma, indem sie die Poolbediensteten dafür bezahlten, jeden Morgen um 5.45 Uhr Handtücher auszulegen. Die Deutschen übertrumpften sie freilich trinkgeldmäßig – und bald schon hatte Pedro aus dem deutsch-englischen Handtuchkrieg genug Profit geschlagen, um seine eigene Strandbar aufmachen zu können. Die Engländer schlugen zurück, indem sie mitten in der Nacht, nach der Rückkehr aus der Disco, ihre Strandtücher auslegten. Aber irgendwie landeten diese Handtücher bis Sonnenaufgang immer im Pool – vollkommen durchnässt, gemahnten sie die Briten an das verlorene Empire. Das moralische Niveau ist in den letzten Jahren sogar noch tiefer gesunken: So haben unbekannte Täter Honig auf Handtücher geschmiert, um auf diese Weise sicherzustellen, dass die hungrige Insektenpopulation des Mittelmeerraums den deutschen Touristen überdurchschnittlich viel Aufmerksamkeit angedeihen lässt. Die Briten bestreiten vehement, von einer derart unter die Gürtellinie zielenden Taktik auch nur gehört zu haben. Trotzdem steht fest: Aus dem Handtuchstreit ist längst ein Guerillakrieg geworden.

Grobgermanen oder: Die Kunst des Beleidigens

Mag das Verb im Deutschen oft erst am Ende eines Satzes kommen und mag es auch gemeinhin dreimal so lange wie im Englischen dauern, etwas Sinnvolles zu sagen – wenn es ans Beleidigen geht, kommt der Kraut schnurstracks zur Sache. Wenn man in Berlin jemanden anrempelt, sagt man: »Ey, Sie da! Passen Se ma bloß uff!« Ich liebe dieses »Sie«, diesen wohlgewählten Ausdruck des Respekts. In Großbritannien hingegen sagt man nach einer solchen Karambolage: Sorry. Die korrekte Antwort darauf lautet ebenfalls: Sorry. Das kann bis zu viermal hin und her gehen und muss dann beendet werden.

Es wäre freilich eine Illusion zu glauben, die Deutschen wären die Meister des Groben und die Engländer in einer Höflichkeit Marke 18. Jahrhundert steckengeblieben. Wir Engländer sind einfach nur weniger direkt. Man könnte sogar sagen, wir sind *hinterhältig*. In Kontinentaleuropa rollten einst die Köpfe, wenn der Monarch verstimmt war; Königin Victoria brauchte hingegen nur *We are not amused* zu sagen, und einer ganzen Nation klappte ob der Ungeheuerlichkeit dieser Aussage kollektiv die Kinnlade herunter. Wenn sich ein deutscher Autofahrer über einen anderen Verkehrsteilnehmer aufregt, schreit er einfach: »Arschloch!« Ein Engländer hingegen würde das Fenster herunterkurbeln und fragen: »Sind Sie neu hier? Haben Sie Schwierigkeiten mit der hiesigen

Straßenverkehrsordnung?« Natürlich täuscht diese Höflichkeit. Im Klartext heißt das: »Zisch ab, du blöder Provinz-Arsch!«

Die Berliner haben die deutsche Grobheit zur Kunstform erhoben, allen voran die Busfahrer. Einmal beobachtete ich, wie ein französischer Tourist in den Bus einstieg und nicht recht wusste, was er mit dem zuvor erworbenen Fahrschein tun sollte. Wofür er nichts konnte, denn der öffentliche Personennahverkehr in Berlin ist absichtlich so kompliziert, damit ausländische Touristen mit dem Taxi fahren müssen. Der arme Franzmann hielt also hilfesuchend dem Fahrer seinen Fahrschein vor die Nase. Doch der starrte ihn nur finster an – und polterte dann los: »Na wat denn, soll ick da rinbeißen oder wat?«

Die übrigen Fahrgäste fanden dies überaus amüsant – dabei entsprang die Unhöflichkeit des Fahrers wohl eher seiner Hilflosigkeit: In Amsterdam oder Kopenhagen hätte der Fahrer dem Touristen in fließendem Englisch erklären können, was er mit seinem Ticket anzustellen hat. Der Berliner hingegen ist häufig überfordert und greift dann schnell zu Beleidigungen.

Die wichtigsten Grundregeln in Berlin lauten in etwa so:

- Sagen Sie niemals als Erster »Guten Tag«, das gilt als Zeichen von Schwäche.
- Vermeiden Sie das Wort »Bitte«, wann immer es geht. (Es geht so gut wie immer.)
- »Danke«: ebenfalls überflüssig. Intelligente Menschen lesen Ihnen die Dankbarkeit von den Augen ab.
- Wenn Sie nicht als Weichei abgestempelt werden

wollen, sagen Sie bloß nie »Ich hätte gern«. Richtig heißt es: »Ich bekomme die Erbsensuppe.« Nur so verschaffen Sie sich Respekt bei der Bedienung.

Natürlich handelt es sich hierbei um Großstadtmanieren. Und es wäre falsch, zu glauben, die Briten seien völlig immun gegen derlei grobe Formulierungen. Nicht jeder in London sagt: *That's rather unusual, isn't it?* (auf Deutsch etwa: »Du spinnst ja!«), wenn man ihm dreiste Lügen auftischt. Der Londoner hat eine etwas direktere Art, andere zu beleidigen. Die Londoner Beleidigungskultur nahm ihren Anfang bei den *barrow-boys* auf den Märkten im East End und ist inzwischen zur *lingua franca* des Londoner Finanzdistriktes geworden.

Auch wenn die Börsianer und andere Großverdiener der Finanzwelt genug Geld scheffeln, um sich jeden Monat einen Porsche kaufen zu können, sind sie psychologisch noch immer so gestrickt wie die jungen Männer, die auf dem Brick Lane Market geklaute Nummernschilder verscherbeln. Wenn Ihnen also ein *Trader*, wie man auf Deutsch sagt, mit seinem Carrera in Ihren VW Golf fährt (britische Autos gibt es ja nicht mehr), wird er bestimmt nicht sagen: *Sorry, old boy!*, sondern Sie eher anschreien: *Don't get your knickers in a twist – that's not a bloody scratch!* Was sich übersetzen ließe mit: »Mach dir mal nicht ins Hemd! Ist doch nicht mal 'n Kratzer!«

Der britische Großstadtfluch ist eben oft ein bisschen bildhafter. Zu einer begriffsstutzigen Verkäuferin kann man durchaus schon mal sagen: *You are as useful as a chocolate fireguard* – »Sie sind so hilfreich wie ein Kamingitter aus Schokolade.«

Doch die eigentliche Demarkationslinie zwischen der deutschen und der englischen Beleidigungskultur verläuft entlang des Gebrauchs der Wörter »Scheiße« und »fucking« – Zusätze, mit denen man eine bestimmte Sache betont. Freudianer brüten schon seit Jahren darüber: Kann es sein, dass die Deutschen in der Analphase feststecken und daher so von Exkrementen besessen sind, während sich die Briten immer noch in der »oral-genitalen Phase« befinden?

Aus dem deutschen »Scheißwetter!« wird so das *fucking weather!* (Vgl. dazu das altenglische *Bit wet, isn't it?*). Ein deutscher Trinker wird eine Tresenkraft, die ihm keinen Schnaps mehr ausschenken will, anblaffen: »Wieso kriegt man in diesem Scheißladen nichts mehr zu trinken?!« Während ein britischer Trunkenbold feststellen wird: *This place is a fucking disgrace!*

Wenn ich die Wahl hätte zwischen der altenglischen Beleidigung und dem Berliner Fluch, würde ich mich für die englische Art entscheiden: Sanfter ist manchmal tödlicher. Aber das Berlinerische hat auch kreative Möglichkeiten, die der etwas grobschlächtigeren Londoner Beleidigungskultur nicht zur Verfügung stehen. So schmettert der englische Fußballfan dem Schiedsrichter bei einer Fehlentscheidung ein *Are you fucking blind!* entgegen. Doch der gewitzte Hertha-Fan schreit einfach: »Hast du Tomaten auf den Augen?«

Manchmal haben sogar deutsche Beleidigungen etwas durchaus Anmutiges.

Nörgeln für Fortgeschrittene

»Beschwere dich nie, erkläre dich nie«, verriet mir einmal ein reicher Playboy sein Lebensmotto, als er mich telefonisch nach München zu einem Drink einlud. Der dunkelhaarige Mann – mit platinblonder Ehefrau, passend zu seiner Tag-Heuer-Uhr – hatte ein Buch geschrieben, das ich (positiv) in der *Times* besprochen hatte.

Der Mann – nennen wir ihn Herr F. – hatte sein Lebtag nie Geldsorgen gehabt, und man hätte seine Biographie ohne weiteres als grellbunten Comic-Strip zeichnen können: Yachten, Pisten, schöne Frauen, Sex in teuren karibischen Strandhotelanlagen. Er war berühmt für seinen Charme und sein großspurig-piratenhaftes Auftreten – daher auch sein Motto, das er sich von Benjamin Disraeli geborgt hatte.

Entsprechend erwartete ich einen Mann, der mit jeder Pore Lebenslust versprühte. Stattdessen bekam ich, kaum dass er mir zur Begrüßung die manikürte Hand gereicht hatte, ein Klagelied zu hören, einen Abgesang auf die Welt, der von Hunden (»hochgezüchtete Ratten«) über Politiker (»allesamt korrupt«) bis hin zu Bundeswehr (»staatlich geprüfte Feiglinge«), Demokratie (»die Schwachen regieren die Schwachen«) und *Bild*-Zeitung (»von Praktikanten für Praktikanten«) reichte.

Er muss gemerkt haben, dass seine Litanei etwas ermüdend war. »Mein Gott«, sagte er, als er endlich

Luft holte, einen kräftigen Schluck von seinem Wodka Martini nahm und sich seines Vergehens bewusst wurde. »Wie halten Sie es nur aus, in Deutschland zu leben, Mister Boyes? Wir sind die reinsten Nörgelweltmeister!«

Wo er recht hat, hat er recht. Da sind wir Engländer doch ganz anders. Wir haben mindestens zehn Gebrauchsformen für das Wort *Sorry*, die allesamt unter das fallen, was ein Psychologe als »passiv aggressiv« bezeichnen würde. Doch Vorsicht: Dass wir uns andauernd entschuldigen, heißt noch lange nicht, dass wir kampflos aufgegeben hätten. *Sorry* ist eine Waffe.

Wir sagen *Sorry* (und meinen »Hör zu, Sportsfreund, dass ich mich entschuldige, kannst du dir abschminken«).

Oder *Sorry* (»Ich tu nur so, als ob ich mich entschuldige – eigentlich ist es deine Schuld!«).

Oder auch *Sorry* (im Sinne von »Ich muss los, du langweilst mich total«).

Oder *Sorry* (»Kapier ich nicht. Drück dich gefälligst klarer aus.«).

Oder *Sorry* (»Sie haben Mist abgeliefert!«).

Oder *Sorry?* (»Ich glaub dir kein Wort!«)

Oder *Sorry!* (»Geht das mit dem Essen auch etwas flotter?«)

Oder *I'm sorry* (»... dass Ihr Vater gestorben ist – aber keiner konnte ihm mehr helfen.«).

Oder: Hüstel, *sorry*. (»Halt mal die Luft an, jetzt bin *ich* mit Reden dran!«)

Oder (zur Bedienung im Lokal): »*Sorry*, könnten Sie das Fleisch wieder mitnehmen? Ich meine, es wäre verdorben ...« (Man beachte den Gebrauch des Konjunktivs – wir wollen doch niemandem ein schlechtes Gewissen machen!)

Worauf die Bedienung dann antwortet: *I'm sorry about that.* (Im Klartext: »Wie ich Sie hasse, hasse, hasse!«)

Kurz: Wir Briten entschuldigen uns dermaßen oft, dass das Fernsehen in den achtziger Jahren sogar eine Sitcom mit dem Titel »Sorry!« produzierte.

Wie bei allem anderen auch, kommt es in Großbritannien nicht so sehr darauf an, *was* wir sagen, sondern *wie* wir es sagen.

Sorry ist unsere Art, uns zu beschweren, das Vorspiel zu einem kodierten Protest. Das stammt noch aus der Zeit des Duells, wo es taktisch besser war, sich leicht verletzen zu lassen, als seinen Widersacher zu töten und anschließend im Gefängnis zu landen. Wir sagen »Tut mir leid«, dabei tut es uns gar nicht leid. Wir tun so, als würden wir uns nicht beschweren, aber in Wahrheit tun wir es doch. Man muss einfach zwischen den Zeilen lesen können. Sich offen zu beschweren ist ein Zeichen von Schwäche und ungehobeltem Benehmen.

Die Deutschen haben das nie verstanden, weshalb die ewige Nörgelei ein Selbstzweck ist und stets öffentlich stattfindet. Deshalb können wir Inselbewohner auch nur den Kopf schütteln, wenn Manni aus Dortmund dem Hotelmanager seine Beschwerdeliste vorträgt. »Diese Deutschen«, seufzen wir dann.

Doch wenn man's sich recht überlegt, müssen wir dem deutschen Nörgler aus tiefstem Herzen dankbar sein. Erstreitet er uns allen doch bessere Bedingungen im Urlaubsparadies. Der deutsche Meckermann-Tourist bemerkt die Mängel seines Hotels, kehrt nach Hause zurück und verklagt TUI, die wiederum dem spanischen Hotel drohen, es aus dem Prospekt zu nehmen. Und ratzfatz sind Essen und Service besser. Das deutsche Rechtssystem liefert letztlich die Rechtfertigung für die deutsche Nörgelei, demonstriert es doch nachhaltig, dass unverblümte Beschwerden Veränderungen bewirken. Wir Engländer wollten das nie recht glauben, weshalb es bei uns auch seit 1688 keine Revolution mehr gegeben hat.

Ermutigt von den Erfolgen in den Gerichtssälen (Baulärm = 300 Euro; Ratten in den Müllcontainern = 200 Euro), ist das Nörgeln in jede Ritze der deutschen Gesellschaft vorgedrungen.

Ein typischer deutscher Gesprächseinstieg:

»Ich will ja nicht meckern, aber allmählich habe ich die Nase wirklich voll.«

»Da haben Sie aber recht. Ein Skandal ...«

»Am schlimmsten ist ja ...«

»Und danach ging's nur noch bergab ...«

Nörgelanfänger sollten diese Phrasen vor dem Spiegel üben. Dabei ist es wichtig, ein vollkommen starres Gesicht zu machen (wie nach einer Botox-Behandlung) und sämtliche Sätze in einem heftigen Flüsterton aus dem Mundwinkel hervorzupressen.

Hier noch schnell die drei Kardinalregeln des deutschen Nörgelwesens:

1.) Man kann die Sätze austauschen und dazu verwenden, sich über den eigenen Gesundheitszustand, den Ehemann oder über Politiker im Allgemeinen und im Besonderen zu beklagen.
2.) Nörgelei darf nicht mit Konversation verwechselt werden. Es geht nicht darum, zuzuhören, was das Gegenüber zu sagen hat, sondern es handelt sich um eine Art Billard-Partie. Eine Klage prallt auf die nächste, und am Schluss verschwindet alles in einem dunklen Loch. Die Nörgelpartie ist vorbei, wenn kein Ball mehr auf dem Tisch liegt. Das dauert in der Regel zirka fünfzig Bahnkilometer oder eine Mittagspause. Danach kann man eine neue Runde beginnen.
3.) Nörgeln ist eine Lebensäußerung, eine Form von Yoga, bloß ohne das »Om«. Man stöhnt, bis man sein Ziel erreicht hat (drangsaliert also zum Beispiel den Freund so lange, bis er einen heiratet). Dann stöhnt man über die Ehe. Und die Kinder. Und den Haushalt. Und so weiter, bis zur letzten Rede am Grab. Gekonntes Nörgeln ist ein untrügliches Zeichen dafür, dass es einem gutgeht und man quicklebendig ist – und in Deutschland lebt.

Nörgeln kann der Deutsche in jeder Lebenslage, egal ob reich oder arm, glücklich oder traurig; es ist gleichsam ein demokratischer Reflex. Und ein Exportschlager noch dazu. Wo immer es Deutsche gibt, finden sich auch Nörgler. Am Ballermann (wo man über die Sangria lästert) genauso wie in Papa Ratzis Vatikan (wo man gegen Satan vom Leder zieht) und eines Tages zweifellos auch auf dem Mond (wo die deutschen Astronauten die fehlende Schwerkraft bemängeln werden).

»Wären Sie bereit, eine internationale Meckerhilfe mitzufinanzieren, um deutsche Werte zu propagieren?«, fragte ich meine Millionärsbekanntschaft, den Meisternörgler von München.

»Ach was«, sagte der, »zu Hause nörgelt es sich doch immer noch am besten.«

Oans, zwoa, gsuffa

Seien wir ehrlich: Sowohl die Briten als auch die Deutschen sind ein Volk von Säufern. Und beide halten sich für die besseren Säufer. Die Deutschen glauben, sie hätten die Bierkultur erfunden, und gerieren sich als Hohepriester des Reinheitsgebots, als Wächter des Weizens. Und vielleicht haben sie damit gar nicht so unrecht. Schließlich mögen die Briten ihr Bier – wie ihre gesamte Kultur – am liebsten lauwarm. Früher trank man in Großbritannien, um den Durst zu löschen – heute löscht man damit vor allem die Erinnerung.

»Ihr Engländer vertragt einfach nichts«, sagte ein deutscher Kollege zu mir, kurz nachdem ich Anfang der neunziger Jahre als Korrespondent nach Berlin gekommen war.

»Wir haben eben eine Blase, die irgendwann voll ist, und ein Hirn, das irgendwann dumpf wird«, bekannte ich. »Ist das bei euch Deutschen denn anders?«

Nachdem er einen Augenblick nachgedacht hatte, erwiderte der Kollege: »Unser Bier ist einfach stärker. Wir trinken mit mehr Respekt.«

Nach Jahren intensiver wissenschaftlicher Studien kann ich nun bestätigen: Es gibt tatsächlich einen Unterschied. Kurz nach dem Krieg war die Ausgangslage in Deutschland und Großbritannien noch recht ähnlich. In den fünfziger Jahren waren Männer knapp – viel zu viele Väter waren auf dem Schlachtfeld ums Leben gekommen –, und kleine Jungs wuchsen in einem fast ausschließlich weiblichen Umfeld auf. Die einzig sichere Enklave der Männlichkeit war der Pub bzw. die Kneipe, und dort lernten die jungen Männer dann auch die Gemeinschaft kennen, die durchs Trinken entsteht: die Kunst des schweigenden Einverständnisses im Angesicht des Bierglases, die weisen Ratschläge der älteren Generation an die jüngere, welche ganz ausgehungert nach Anerkennung war.

Inzwischen befindet sich der Pub als Bildungsanstalt auf dem absteigenden Ast. Aus den jungen Männern beider Länder sind Säufer mittleren Alters geworden – manche trinken inzwischen sogar lieber Wein. Und die Muster, nach denen Deutsche und Briten sich besaufen, unterscheiden sich inzwischen auch beträchtlich.

Der moderne Engländer durchläuft zehn Stufen auf dem Weg zum Vollrausch:

1. Das erste Bier dient dazu, Hemmungen abzubauen. Es wird in einem Zug getrunken, wie Medizin.
2. Jetzt ist der Trinkende bereit, sich mit seinen Kumpels zu unterhalten.
3. Das zweite Bier bringt es an den Tag: Die Kumpels sind Langweiler. Also fängt der Trinker an, mit Fremden zu reden. Und mit jedem Schluck verliert er ein bisschen mehr von seiner typisch britischen Zurückhaltung.

4. Das dritte Bier bestätigt, was er eigentlich schon immer wusste: Er ist sexuell unwiderstehlich. Er wechselt tiefe Blicke mit der Bardame und überlegt, ob sie einen BH trägt.
5. Alle noch auf dem gleichen Stand? Ab dem vierten gemeinsamen Bier wird es nämlich ziemlich laut. Irgendwer fängt an zu singen. Ein anderer will den lautesten Witz der Welt erzählen, und ein Dritter versucht, ihm die Pointe zu verderben.
6. Jetzt, mit zunehmender Vernebelung, sind wir die Champions! Unschlagbar. Aber so was von! Beim Fußball, im Krieg, bei der Rockmusik und überhaupt bei allem.
7. Der Typ am Nebentisch scheint da anderer Meinung zu sein. Was guckst du so? Willst du Ärger? Der edle englische Trinker versucht, sich zu erheben. Es ist an der Zeit, die Ehre der Nation zu verteidigen.
8. Dann setzt er sich wieder hin. Irgendwie ist ihm ziemlich übel. Vielleicht hilft es ja, ein paar Chips zu essen, die saugen den Alkohol auf. Schon besser. Nein, doch nicht. Er muss kotzen. Sofort.
9. Viel besser. Und jetzt ein Schläfchen. Kopf auf den Tisch.
10. Das traurig-musikalische Finale eines erlebnisreichen Kneipenabends: lautes, kettensägenartiges Schnarchen, das aus der Ausnüchterungszelle dringt.

Man könnte das als »Weltmeisterschaftsmodell« bezeichnen. Internationale Fußballturniere fördern das englische Trinktalent auf eine Weise, wie es Schachturniere unerklärlicherweise nicht fertigbringen. Das

Ganze wurzelt in den männlichen Verbrüderungsszenen der Nachkriegs-Pub-Kultur. Und obwohl die Deutschen auf dem Spielfeld angeblich erfolgreicher sind, haben sie ihre eigene, weniger stürmische Saufvariante entwickelt: das »Oktoberfest-Modell«.

1. Das erste Bier: Das gesunde, nahrhafte Getränk ist zum Frühstück dank des Reinheitsgebots biologisch wertvoller als ein Müsli und damit der perfekte Start in den Münchener Tag.
2. Zehn Minuten später – die erste Maß ist schon halbleer – verspüren Sie den unwiderstehlichen Drang, einem Wildfremden einen Witz zu erzählen. Wenn dieser Wildfremde über genügend gesunden Menschenverstand verfügt, wird er nicken und so tun, als verstünde er Ihren komischen Dialekt. Wenn er Sie nur verständnislos anglotzt, erzählen Sie ihm natürlich gleich noch einen weiteren Witz. Falls der Fremde immer noch nicht reagiert, empfiehlt es sich, lauter zu sprechen – vielleicht ist er ja taub.
3. Jetzt ist es Zeit für die zweite Maß – vom Witzeerzählen kriegt man schließlich eine ganz trockene Kehle –, und außerdem wird es Zeit, mit der Kellnerin zu flirten – *die* Gelegenheit, den berühmten bayrischen Charme spielen zu lassen.
4. Sollte sie nach Ihren plumpen

Anbaggersprüchen Marke »Scheene Augn ham S'« überraschenderweise immer noch empfänglich für Ihren Charme sein, fassen Sie ihr an den Hintern. Vermutlich knallt sie Ihnen eine, aber nur ganz spielerisch – etwa so wie eine Psychologin.

5. Sie fangen an, mit der Humptata-Blaskapelle mitzusingen. Dazu schwenken Sie Ihr Glas. »Des is doch viel besser als der saublöde Xavier Nah-Du!«, verkünden Sie Ihrem Saufkumpan. Der nickt nur – er hat schon ein Bier Vorsprung.
6. Sie meckern über die Bierpreise, die Saupreiß'n und die Sozis. Dann wollen Sie auf die Toilette, bleiben aber an einer Bierbank hängen und stolpern.
7. Sie verspüren den Drang, Ihre Frau anzurufen. Aus irgendeinem Grund scheint sie nicht zu verstehen, was Sie ihr sagen. Sie regt sich auf, aber Sie wissen ja, dass sie Sie liebt.
8. Zeit für ein weiteres Bier. Sie denken darüber nach, wie sehr Sie geliebt werden. Tränen kullern Ihnen über die Wangen. Der Sepp neben Ihnen heult schon richtig. Und zwei andere Mit-Trinker am Tisch auch. Gewissermaßen ein Synchronschwimmen der Augen. Der Weinkrampf nach der vierten Maß – ein klassisches Oktoberfest-Syndrom. Sie halten eine Lobrede auf die Schönheit Ihrer Frau. Alle anderen halten ebenfalls Lobreden auf ihre schönen Frauen.
9. Sie gehen wieder aufs Klo und rempeln, bedingt durch die inzwischen nicht mehr so sichere Gangart, einen Typen an. Er mault Sie an: »Können Sie nicht aufpassen, wo Sie hintreten?« Sie fangen

wieder an zu heulen. Das Leben ist so wahnsinnig ungerecht.

10. Zeit für eine Brez'n. Aber bevor Sie die aufgegessen haben, sind Sie schon eingeschlafen. Irgendwer versucht, Sie auf dem Handy anzurufen, doch es ist längst zu spät: Der Bierkrug ist leer, aber das Maß ist voll.

Was folgern wir daraus? Vielleicht, dass der Oktoberfest-Sepp ein sensiblerer Charakter ist als WM-Dave? Oder einfach nur: Beide sind nüchtern deutlich besser zu ertragen.

Wie man WG-Erfahrung sammelt

Etwas schockiert war ich schon, als ich zum ersten Mal in Frankfurt auf Zimmersuche ging. Wir schrieben die Siebziger, und man hatte mir erklärt, dass ich als Student nur in einer Wohngemeinschaft leben könne: Das sei preiswert und ein Garant für zahlreiche sexuelle Abenteuer. Also ließ ich mich von zwei Frauen in eine Küche mit bunt zusammengewürfeltem Geschirr führen. An der Wand hing ein Poster, das Uncle Sam als Vampir zeigte, wie er jungen Soldaten das Blut aussaugte. Darunter stand: *US/SA/SS*. Nicht gerade der Ort, an dem man Stunden damit zubrachte, ein köstliches Boeuf Bourguignon zu zaubern. Was mir allerdings ganz recht war, denn meine Kochkünste waren doch eher rudimentär.

Eine der beiden Frauen legte eine Checkliste auf den Küchentisch, strich sich das lange Haar aus dem Gesicht, rückte ihre Nickelbrille zurecht und fing dann an, mich mit Fragen zu bombardieren. Die zweite Frau, die den Charme eines Hauptkommissars versprühte, beobachtete mich einfach nur aufmerksam und achtete auf meine Körpersprache. Offenbar war sie der WG-eigene Lügendetektor.

»Engländer?«, fragte mich die Fragenstellerin.

»Ja«, antwortete ich und freute mich, damit zumindest schon mal einen Pluspunkt auf der Liste zu haben. Engländer mochte schließlich jeder.

»Und wie stehst du zu der Unterdrückung der IRA?«

Aha. Fast jeder.

Ich stotterte mir rasch eine sozialgeschichtliche Analyse des Nordirland-Konflikts zusammen. Die Fragenstellerin wirkte nicht sonderlich überzeugt und schien unschlüssig, ob sie mich jetzt anbrüllen oder standrechtlich erschießen – oder plangemäß zur nächsten Frage übergehen sollte. Sie entschied sich für Letzteres und feuerte ihre Fragen wie Gewehrsalven auf mich ab.

– »Wie stehst du zur ›Strategie der Spannung‹?«

– »Mao oder Che?«

– »Stalin oder Trotzki?«

– »Freud oder Jung?«

Doch ihre Schlüsselfrage lautete: »Was kannst du denn kochen?«

»Spaghetti bolognese.« Das fanden sie zwar nicht sonderlich beeindruckend, aber es brachte mir immerhin mein zweites Häkchen ein.

»Und Lammcurry«, fügte ich hinzu. »Schön scharf.«

Mit dieser Antwort verspielte ich meine letzte Chance. Curry galt als Symbol der kolonialen Ausbeutung, der britischen Herrschaft in Indien. Und so landete ich dann doch im Studentenwohnheim.

Gut, seither ist Deutschland ein bisschen lockerer geworden. Aber das Prinzip gilt immer noch. Die deutsche WG wurzelt in der Ideologie, während das britische *flat-sharing* ein rein pragmatischer Akt ist, eine Reaktion auf die eigene relative Armut und die lächerlich hohen Immobilienpreise. *Flat-sharing* braucht keinen intellektuellen Überbau. In England zieht man normalerweise früher von zu Hause aus als in Deutschland, und es ist schlicht und ergreifend die preiswerteste Art zu wohnen, bis man genug Geld für die Anzahlung auf eine eigene Wohnung zusammengekratzt hat.

Für Deutsche hingegen ist die WG Lebensform und Statement in einem, und selbst wenn sie ausziehen – im Gepäck das Bügelbrett, die Billy-Regale, die Stereoanlage und die Kleiderbügel –, bleibt ihnen die WG-Doktrin erhalten. Noch wenn sie verheiratet sind, schauen sie im Kühlschrank nach, ob der Ehepartner nicht heimlich die Milch leer gemacht hat. Sie schreiben sich gegenseitig kleine Zettel, die sie dann an die Pinnwand in der Küche heften: »Du bist dran mit Klopapierkaufen!« oder »Vergiss nicht, den Müll rauszubringen!« Und dabei denken sie voller Nostalgie an die Jahre zurück, als sie noch Zeit genug hatten, am Küchentisch zu sitzen und über Horkheimer zu diskutieren. Später, wenn sie alt sind, ziehen sie freiwillig in Senioren-WGs und hängen dort ihre Zettelchen an die Pinnwand: »Denk an die Ginseng-Tabletten!« oder »Wer hat meinen Kamillentee geklaut?« In Deutschland hängt man so sehr am WG-Prinzip, dass man sogar zwischenzeitlich eine rot-grüne Regierung aus lauter WG-Veteranen gewählt hat. Selbst in der Hugo-Boss-Phase seines Außenminister-Daseins schien Joschka Fischer sich immer noch nach den legendären Tagen in der Bornheimer Landstraße zurückzusehnen, als keiner je seine Tür abschloss und Dany »le Rouge« Cohn-Bendit im Bademantel zum Zeitungskiosk ging. Als sie noch die Briketts für den Wohnzimmerofen in ihrem alten VW-Käfer lagerten und die Pistolen, mit denen sie die bourgeoisen Kommunalpolitiker abknallen wollten, hinter den leeren Weinflaschen. Das waren noch Zeiten.

Hier sind zehn untrügliche Anzeichen dafür, dass ein Deutscher oder eine Deutsche WG-Erfahrung hat:

- In seinen Büchern steht vorne sein Name drin. Wenn die Titelseite fehlt, hat er das Buch vermutlich geklaut.
- Sie bewahrt ihren Fön unter dem Bett auf (oder entfernt in extremen Fällen sogar das Kabel).
- Auf den Milchflaschen zeigen Filzstiftstriche, wie voll die Flasche nach dem letzten erlaubten Verbrauch war.
- Er hängt immer ein »Bitte nicht stören«-Schild außen an die Schlafzimmertür.
- Sie inspiziert täglich ihre Schuhe, um zu sehen, ob sie ausgeweitet wurden.
- Kerzen in der Küche: Romantisches Schummerlicht verdeckt die Tatsache, dass wieder mal keiner abgewaschen hat.
- Uralte Rabattmarken an der Pinnwand in der Küche.
- Insektenvernichtungsmittel in jedem Zimmer, nicht nur in der Küche.
- Matschverklebte Fußballschuhe neben den Manolo Blahniks im Flur.
- Achtzehn Monate alte, ungeöffnete Telefonrechnungen unter der Fußmatte.

Die lieben Nachbarn

Wer in eine neue Wohnung oder ein neues Haus ziehen will, sollte vorher einen Kurs für Landvermessung an seiner örtlichen Volkshochschule besuchen. Wieso? Weil die deutsche Nachbarschaftlichkeit am Ende von ein paar Zentimetern abhängen kann.

Dabei lässt sich das Ganze meist recht gut an. Denn im Vergleich zu seinem britischen Gegenpart kommt einem der deutsche Nachbar wie ein Muster an gutem Willen vor. Hält der Brite es doch für ein Zeichen von guter Kinderstube, seinen Nachbarn zu ignorieren, und das oft jahrzehntelang. Trägt er einen Hut, wird er diesen unter Umständen höflich lüften. Nach fünfzehn Jahren kann es dann zu folgendem Gespräch kommen:

»Sieht nach Regen aus.«
»Ja, die Bauern werden sich freuen.«
»Kann man nicht meckern.«
»Nein. Schönen Tag noch.«

Gut möglich, dass ein solcher Nachbar später völlig unbemerkt stirbt und die still vor sich hin verwesende Leiche von seinen Schäferhunden gefressen wird.

In einem solchen Fall verläuft die Unterhaltung dann in etwa so:

»Nebenan riecht's irgendwie eigenartig.«
»Ja, muss wohl am Wetterumschwung liegen.«

Hauptsache, die Privatsphäre bleibt gewahrt.
Das deutsche Nachbarschaftswesen ist grundlegend anders und verläuft in vier Phasen.

1) Die Kontaktaufnahme
Erste Verbindungen werden bereits nach wenigen Tagen geknüpft, entweder durch ein freundliches Nicken oder einen Dialog der folgenden Art:

»Schicker Schlitten.« (Deutet auf den neuen Wagen des Nachbarn.)
»Fährt 210. Hat blabla PS.«
»Na, dann. Ich bin übrigens der Meier von nebenan.«
»Unsere Frauen sollten sich mal kennenlernen.«

Der Höhepunkt dieses Werbeverhaltens ist dann das Nachbarschaftsfest, zu dem die Gäste Backwerk mitbringen, angeblich aus eigener Herstellung.
»Köstlich! Wer hat denn diese Aprikosen-Zwiebel-Quiche gebacken? Sehr lecker!«
Leise gleitet die Quiche von ihrem Pappteller in den Papierkorb oder wird im Aquarium entsorgt. Jahr für Jahr sterben zahllose Goldfische – die stillen Helden des Vororts! – im Dienste gutnachbarlicher Beziehungen.

2) Die Beobachtungsphase
Ein weiteres Zeichen guter Nachbarschaft besteht darin, die Wohnung des Nachbarn zu hüten. Ist er im

Urlaub, wässert man den Garten. Zudem achtet man auf Einbrecher und holt die Post.

Die Beziehung ändert sich freilich, sobald der Nachbar einem den Ersatzschlüssel aushändigt. Wenn man das Haus des Nachbarn allein betritt, passiert nämlich zweierlei. Zum einen macht man sich über die Inneneinrichtung lustig. (Rosa Tapeten im Schlafzimmer? Wie geschmacklos! Puppen und Kuscheltiere auf dem Sofa? Hätte ich nie gedacht!) Zum anderen setzt unverzüglich der legendäre deutsche Neid ein. Bis jetzt hat sich dieser auf den Wagen (größer, leistungsfähiger, schicker als meiner) und die Frau (knackiger, mondäner, riecht besser als meine) des Nachbarn beschränkt. Ist man aber erst einmal im Haus, hat man auch Gelegenheit, in aller Ruhe den Plasmabildschirm, die Bang-&-Olufsen-Anlage, den begehbaren Kleiderschrank, die Golfschläger und die Designeranzüge (für jeden Wochentag einen) zu begutachten. Und dann ist der Kerl auch noch im Urlaub und Sie nicht!

Und so wird aus dem freundlich gesinnten neugierigen Nachbarn ein leicht feindseliger neugieriger Nachbar, der auf eine ganz natürliche deutsche Art allmählich die Eigenschaften eines Blockwarts annimmt.

»Gestern ist es ja wieder ziemlich spät geworden bei unseren Freunden von nebenan«, sagen Sie beim Frühstück zu Ihrer Frau.

»Wahrscheinlich waren sie wieder bei einer von diesen Swinger-Partys«, erwidert Ihre Frau und köpft mit etwas übertriebener Heftigkeit ihr Frühstücksei.

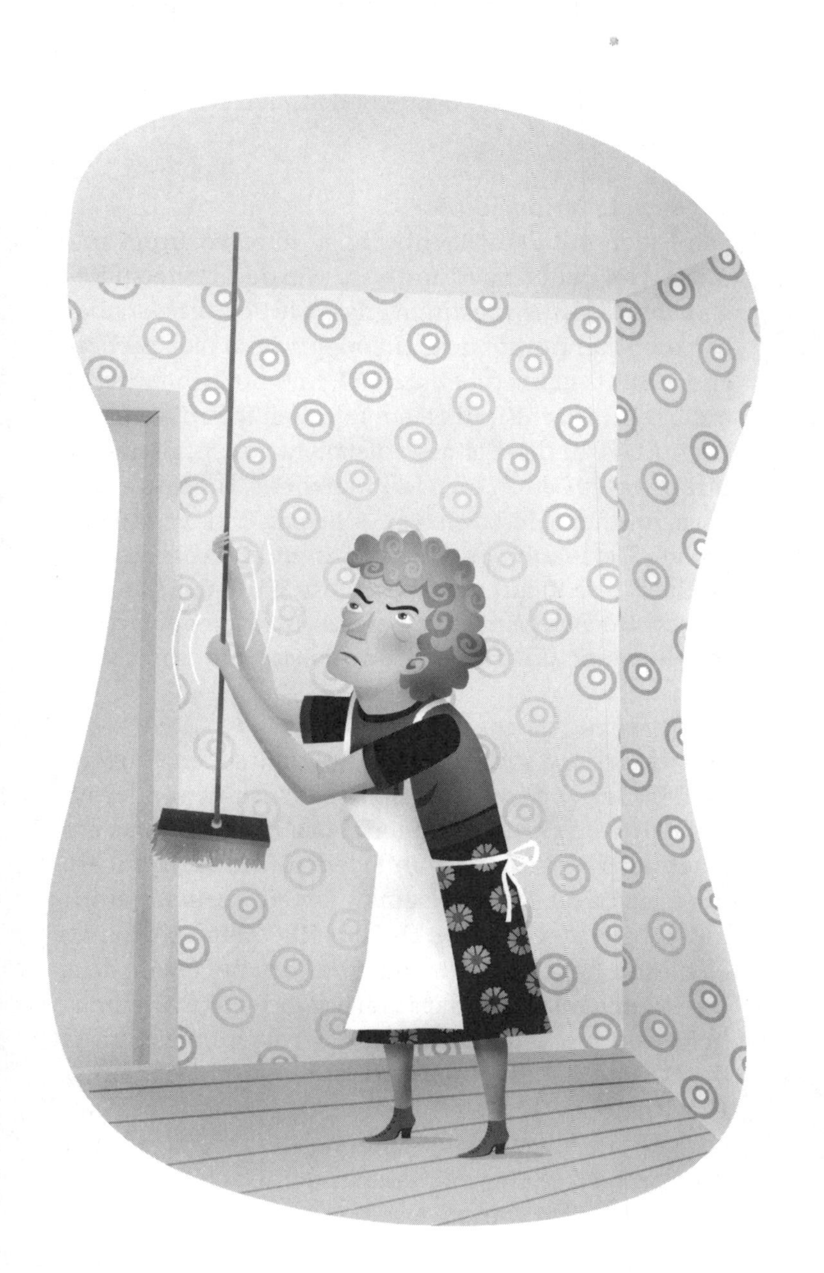

»Ja«, murmeln Sie und wenden sich wieder Ihrer Zeitung zu.

3) Die Eskalationsphase

Der Streit mit dem Nachbarn ist quasi vorprogrammiert. Der deutsche Alltag wird von derart vielen Regeln und Gesetzen bestimmt, dass Sie und Ihr Nachbar gar nicht umhinkönnen, ein oder zwei davon zu brechen. Spätnachts (nach 22.30 Uhr!) noch den Motor anlassen, die Mülltonnen am falschen Tag rausstellen, nach 7.00 Uhr den Schnee noch nicht geschippt haben. Mit etwas gutem Willen können diese Konflikte einvernehmlich gelöst werden – doch nach dem Abkühlen der Beziehung und der emotionalen Abgrenzung (siehe Phase 2) hat sich jeder gute Wille in Luft aufgelöst. Ihr Nachbar ist zu einem Rivalen geworden, mit dem man um die Territorialherrschaft kämpft.

4) Wir sehen uns vor Gericht

Die natürliche Verlängerung des deutschen Gartens ist der Gerichtssaal. Das schiere Durcheinander an gesetzlichen Bestimmungen hat zur Folge, dass die Nachbarn erst dann ihren Frieden finden, wenn ein überbezahlter Richter seinen Urteilsspruch gefällt hat. Typisch dafür ist ein Fall aus Rheinland-Pfalz, wo sich die Eheleute Bruno darüber beschwerten, dass die Bäume aus Nachbars Garten ihnen das Sonnenlicht raubten. Die Baumschutzverordnung schützte die Bäume, das Nachbarrecht sprach für die Brunos. Der Richter urteilte schließlich zugunsten des Ehepaars – und zwar weil die Bäume vierzig Jahre zuvor dreißig Zentimeter zu nahe an den Gartenzaun gepflanzt worden waren.

Deshalb sollte man als Deutscher immer einen Zollstock zur Hand haben. Oder gleich so fachmännisch zu Werke schreiten wie Joachim S., der Gatte von Angela M.: Der regte sich in der gemeinsamen Berliner Innenstadtwohnung derart über den Lärm von der benachbarten Museumsinsel auf, dass er angeblich zum Dezibelmessgerät griff und eine ganze Nacht lang harte Zahlen notiert haben soll ...

Ständig vor Gericht zu ziehen mag auf Dauer etwas kleinkariert wirken, ist aber in Wahrheit ein Zeichen von Zivilisiertheit. Deutschland ist von neun Nachbarländern umgeben und hat es – in seinen unzivilisierten Zeiten – geschafft, in die meisten davon einzumarschieren. Also vergessen Sie die Panzer. Investieren Sie lieber in ein gutes Nachtsichtgerät, einen Spaten, mit dem Sie heimlich die dämlichen Gartenzwerge Ihres Nachbarn verbuddeln können – und in einen guten Anwalt.

Das perfekte deutsche Dinner

Die Dinner-Party hat sich in Deutschland erst sehr viel später etabliert als in Großbritannien oder in Frankreich. Als der Franzose Brillat-Savarin schon längst in seiner *Physiologie des Geschmacks* über den philosophischen Gehalt von Tischmanieren reflektierte, rülpste man in Deutschland noch, um zu zeigen, dass man satt war. Irgendwann allerdings holten die Deutschen auf, und nach 1990 gab es eine wahre Flut von kniggeartigen Büchern, die allesamt in der Annahme verfasst wurden, man müsse den Ossis erst mal erklären, wie man mit Messer und Gabel umgeht.

Inzwischen hat der deutsche Salon seine britischen und französischen Pendants längst überflügelt: Das Essen ist phantasievoller, die Konversation sehr viel ausgeklügelter. Der Grund: Wie alles andere planen Deutsche auch ihre Essenseinladungen bis ins Kleinste. Armin Meiwes, der Kannibale von Rotenburg, hat uns vorgemacht, wie es idealerweise laufen kann:

- Er hat seinen Gast vom Bahnhof abgeholt.
- Er hat das Menü mit dem Gast besprochen.
- Sie haben gemeinsam gekocht, unter Verwendung frischer Zutaten, die der Gast zur Verfügung stellte.
- Und das übriggebliebene Essen wurde später eingefroren, um eine ökologisch korrekte Mahlzeit ohne großen Abfall zu gewährleisten.

Ich will damit keineswegs andeuten, dass das ein Modell für ganz Deutschland wäre. Hin und wieder will man seine Gäste ja auch wiedersehen.

Und zwar nicht nur im Tiefkühlfach.

Nacktsein für Nichtdeutsche

Jeder kennt sie, die Geschichte von Adam und Eva, die nackt und unschuldig im Paradies leben, bis ihnen die Schlange einen Apfel vom Baum der Erkenntnis andreht. Worauf die beiden sich plötzlich sexy fühlen und aus Scham ihren Körper bedecken. Auf Renaissance-Gemälden halten sie sich meist irgendwelches Laub vor die Geschlechtsteile. Das moderne britische Äquivalent dazu ist die Badehose.

Kürzlich besuchte ich mit meinem Freund Freddy aus Manchester die Badelandschaft eines Berliner Fitnesscenters. Wo wir sogleich gemeinsam aus dem Paradies vertrieben wurden. Zumindest aus dem Wellness-Bereich.

»So können Sie hier nicht rein«, protestierte eine Frau, deren hübsches Gesicht vom Dampf des Whirlpools schon ganz rot war. »Sie müssen erst die Badehose ausziehen!«

»O Gott«, sagte Freddy.

»O Gott«, echote ich.

»Das ist freie Liebe«, sagte Freddy. »Ich hab davon in Büchern gelesen.«

»I wo. Das hat rein hygienische Gründe«, klärte die Frau uns auf und entstieg mit grimmiger Miene dem Whirlpool, die Schultern durchgedrückt wie ein Rekrutenschinder. »Badehosen sind hier verboten! Wenn Sie die Hygienevorschriften nicht beachten, müssen Sie das Bad verlassen.«

Wir versuchten es in der Sauna, doch da war es ganz genauso: Nur splitternackt war man hygienisch.

Natürlich hatte das Ganze nichts mit Hygiene zu tun. Sondern mit Unschuld. Die britische Haltung zur Nacktheit wird durch das Leben im Internat verdorben. Wie Freddy und ich herausfanden, hatten wir damals als Schuljungen die versammelten Penisse der heutigen Vorstandsvorsitzenden von Marks & Spencer und BP, dreier Generäle, einer Handvoll Botschafter, eines Fernsehmoderators und zweier Chefredakteure gesehen (mein Chef war Gott sei Dank nicht darunter). Ob sich mit diesem Wissen etwas anfangen ließ? Wir waren uns nicht ganz sicher, doch eines wussten wir ganz gewiss: Unser Bedarf an Mit-Gliedern war mehr als gedeckt.

Die Deutschen haben hier offensichtlich Nachholbedarf. In der Umkleide dreht sich der Brite gemeinhin mit dem Rücken zur Wand oder versteckt sich hinter der Spindtür. Er behält das Hemd an, zieht Hose und Unterhose aus und schlüpft in seine Badehose – das alles in einer einzigen fließenden Bewegung, die vielleicht dreißig Sekunden dauert. Das lässt sich problemlos zu Hause vor dem Schlafzimmerspiegel üben. Alternativ kann man auch schon mit der Badehose unter der langen Hose ins Studio kommen.

Der deutsche Mann hingegen lässt sein Handtuch bei der erstbesten Gelegenheit fallen. Wodurch der Umkleideraum des Fitnessstudios zu einer einzigen Wursttheke wird: Krakauer, Bockwurst, kleine Stummelleberwurst, seltsam dunkle Blutwurst, lange dünne Kabanossi – allesamt zur Schau gestellt, während sich der nackte Deutsche in aller Ruhe vor dem

Spiegel die Haare kämmt und fönt oder durch den Raum schreitet, um einen Freund zu begrüßen.

»Ihr Briten seid ja so was von prüde«, sagte mir mal ein deutscher Kollege. »Es geht um Freiheit und ein gesundes Verhältnis zum eigenen Körper.«

Tatsächlich? Ich kann mir nicht helfen: Mir kommt das Ganze eher wie ein Wettstreit vor.

Bad, Worse, Wurst

Wo wir gerade bei Würsten sind: Kein anderes Nahrungsmittel hat die deutsche Kultur so tief durchdrungen wie die Wurst. Sie begleitet die Menschen durchs ganze Leben: Man wurstelt sich so durch. Und wenn ernstlich etwas auf dem Spiel steht, in der Politik wie in der Liebe, dann weiß der Deutsche: Es geht um die Wurst.

Die Deutschen haben eine tiefe, fast schon mystische Beziehung zu ihrer Wurst. Noch die allerbanalste Volksweisheit wird schmackhaft, wenn man sie in eine Wurstpelle steckt. Alles hat ein Ende – nur die Wurst hat zwei. Echte deutsche Wurstphilosophie!

Und sie ist sogar ein Sinnbild für die Reinkarnation. Das wusste schon Wilhelm Busch: »Des Schweines Ende ist der Wurst Anfang.« Anders gesagt: Die Wurst ist nicht nur Teil der Nahrungskette, sondern Teil der ganz normalen deutschen Entwicklung.

Und passt dem Deutschen was nicht, ruft oder nuschelt er in trotziger Ablehnung: »Mir doch wurs(ch)t!«

Sind schon manchmal arme Würstchen, die Deutschen!

Hier eine kleine Orientierungshilfe im Wurst-Dschungel:

1. Das Frankfurter Würstchen: lang und braun und eigentlich ein »Wienerle«. Da versucht also wieder

mal ein Österreicher, sich als Deutscher auszugeben.

2. Die Weißwurst: bayrisches Albino-Würstchen (vgl. Edmund Stoiber).

3. Die Krakauer: vom ehemaligen polnischen Papst gesegnet (und deshalb auch etwas teurer).

4. Die Teewurst: Die einzige deutsche Wurst, die den Briten aus tiefster Seele verhasst ist. *»It's not my cup of tea«*, sagt der Engländer dazu, mit seinem eigenen Ausdruck tiefsten Missfallens.

5. Die Kinderwurst: Meist hat sie ein fieses Clownsgesicht und wird irgendeinem brüllenden Balg von der Frau hinter der Fleischtheke gereicht. Nicht zu verwechseln mit der Teenie-Wurst, der Midlife-Crisis-Wurst oder der Seniorenwurst.

Dr. Morbus, Arzt deines Vertrauens

Seit Wochen macht Ihnen der Magen zu schaffen, aber Sie hatten tagsüber einfach nie die Zeit, Ihren Hausarzt aufzusuchen? Machen Sie es doch wie so viele Deutsche: Warten Sie bis zum Abend und gehen Sie dann in die Notaufnahme. Zwar handelt es sich eigentlich um keinen Notfall, aber die meisten Leute in Krankenhausambulanzen sehen auch nicht so schlimm aus. Zumindest sind sie noch fit genug, nach draußen zu gehen und mit den Krankenschwestern eine Zigarette zu rauchen.

Aber Vorsicht: Gehen Sie nicht an einem Freitag, denn Sie wissen doch: Von freitags nachmittags bis montags in der Frühe liegen die Chancen zu sterben zehn Prozent höher als sonst. Dann sind nämlich die meisten jungen Ärzte mit einem EasyJet-Flug nach London gedüst, um sich mit einem Wochenende Schwarzarbeit ein Monatsgehalt dazuzuverdienen.

Schon am Donnerstagabend steigt die Zahl der Patienten, die vom Altersheim ins Krankenhaus gebracht werden, sprunghaft an. Die Altersheime haben nicht das nötige Geld, um ihr Pflegepersonal auch am Wochenende zu bezahlen, deshalb schicken sie ihre alten, dehydrierten Patienten gegen Ende der Woche lieber in die Notaufnahme. In Deutschland wird man daher sinnvollerweise an einem Dienstag oder Mittwoch krank. Das sollten Sie immer im Kopf behalten.

Die Ambulanz eines deutschen Krankenhauses ist

ein Hort der Demokratie. Schon bald drängt sich Ihnen der Eindruck auf, dass Sie auch nicht früher drankämen, wenn Sie einen Herzinfarkt simulieren würden. In dieser heiligen Ordnung hat jeder den Platz, der ihm zusteht.

Schließlich werden Sie zum Arzt vorgelassen, und Ihnen wird gleich ein bisschen mulmig. Irgendwie sieht er nicht besonders gut aus.

»Geht es Ihnen nicht gut, Herr Doktor?«, fragen Sie. »Vielleicht sollten Sie sich kurz setzen.«

Mit dankbarem Blick lässt er sich auf einen Stuhl sinken. Sie bringen ihm ein Glas Wasser.

»War ein harter Tag«, sagt der junge Arzt, nachdem er einen Schluck getrunken hat. Sie schauen ihm in die Augen: vergrößerte Pupillen. Und er atmet auch ein bisschen schwer.

»Haben Sie heute auch genug getrunken?«, fragen Sie ihn und überlegen dabei, ob es sich vielleicht um ein posttraumatisches Stress-Syndrom handeln könnte. Sie erinnern sich an eine Folge von *Für alle Fälle Stefanie*, in der ein Arzt ganz ähnliche Symptome hatte. Am Ende war es dann aber nur ein Kater. Verstärkt durch frühes Aufstehen, zu viel Kaffee und einen Tadel vom Oberarzt.

»Nein, nein, es geht gleich wieder«, sagt Doktor … (an dieser Stelle versuchen Sie, sein Namensschild zu entziffern) … Morbus. »Wissen Sie, ich habe gerade einen Patienten verloren.«

»Mein Gott, das tut mir aber leid«, sagen Sie. »Hier in der Notaufnahme?«

»Nein, in der Gastrologie.« Das ruft Ihnen spontan Ihr eigenes Leiden in Erinnerung, und Sie fassen sich an den Bauch, während der blasse Mediziner ausführt: »Ich hatte ihn im Aufzug abgestellt. Danach habe ich ihn nicht wiedergesehen.«

»Heißt das, er ist auf dem Weg zum Operationssaal gestorben?«

»Nein, er ist einfach aus dem Aufzug verschwunden. So was passiert ständig.«

»Aha«, sagen Sie. »Aber dann finden Sie ihn doch sicher irgendwann wieder.«

»Klar. Vermutlich wird ihm gerade jetzt, während wir uns hier unterhalten, das Bein amputiert, oder vielleicht hat er auch Glück und wird nur einer unnötigen Computertomographie unterzogen. Das ist in etwa so, als ginge ein Paket auf dem Postamt verloren.«

»Da hat man aber wenigstens noch einen Absender.«

Doktor Morbus lacht. Sie freuen sich, dass es ihm wieder ein wenig besserzugehen scheint.

»Herr Doktor, ich wollte Sie gern was fragen, wegen meinem ...«

Er hebt die Hand, weil sein Pager piept. Er liest die Nachricht und verzieht das Gesicht.

»Ach herrje«, sagt er. »Ich muss los. Kann das vielleicht warten?«

»Ein Notfall?«

Doktor Morbus nickt.

»Die Cafeteria schließt in einer Viertelstunde, und ich habe seit heute Mittag nichts mehr gegessen.«

Sie fassen sich wieder an den Magen. Eigentlich fühlt er sich schon wieder viel besser an.

Das ist der größte Triumph der modernen Medizin in Deutschland: Sie macht Ärzte zu Patienten und Patienten zu Ärzten.

Die heiße Schlacht am kalten Büfett

Eine der großen deutschen Kampfsportarten ist die Schlacht am Büfett. Ob bei einem TUI-Pauschalurlaub auf Mallorca, einem CDU-Parteitag oder der Weihnachtsfeier Ihres reichen Nachbarn: Die Kunst, einen mit Räucherlachs, Buletten und Mousse au Chocolat beladenen Tisch so anzusteuern, dass man mit dem Löwenanteil wieder abziehen kann, hat Strategen schon seit Clausewitz beschäftigt – von dem übrigens der berühmte Ausspruch stammen soll: »Das Büfett ist die Fortsetzung der Politik mit anderen Mitteln.«

Dabei gilt es stets drei Grundregeln zu beachten.

1) Eckkneipengemästete Gegenspieler (je aufgeschwemmter, desto versessener darauf, Ihnen das Essen wegzuschnappen) MÜSSEN bereits vor Schlachtbeginn außer Gefecht gesetzt werden. Das klingt zwar nach schmutzigen Tricks, ist aber ein notwendiges Übel. Mein Rat: In der Toilette einsperren. Oder notfalls ein Bein stellen, wenn sie sabbernd in Richtung Büfett watscheln.

2) Kinder und Hunde sind ein integraler Bestandteil einer jeden Bü-

fett-Armee UND DÜRFEN DAHER KEINESFALLS ZU HAUSE GELASSEN WERDEN.

3) Am wichtigsten: Kommen Sie unbedingt HALB VERHUNGERT zum Büfett. Nichts schärft den deutschen Geist so sehr wie die Aussicht auf ein kostenloses Essen. Doch erst ein knurrender Magen garantiert den nötigen Kampfgeist.

Drei Schlachtmodelle kommen besonders gern zum Einsatz.

1) Die Zangenstrategie (vgl. Rommel in El Alamein) Dies ist der einfachste Angriffsplan. An beiden Enden des Büfetts sind Teller aufgestapelt. Kontrollieren Sie die Schlange vor den Tellern, dann haben Sie auch die Kontrolle über das Büfett. Dazu teilt sich die Familie in zwei Gruppen und arbeitet sich langsam von außen nach innen vor, um sich in der Mitte mit ihrer Aus-

beute zu treffen. Von dort werden die Kinder mit je zwei Tellern in der Hand zum Esstisch (Basislager) expediert, während die Erwachsenen weiterhin die Anrichte plündern. Anschließend kommen die Kinder zurück, um die zweite Lieferung abzuholen.

2) Der Kessel (vgl. Stalingrad)
Bei diesem Modell streben Sie die totale Herrschaft über das Büfett an. Als Sieg gilt hierbei die Eroberung von mindestens 200 Gramm Lachs und einer ganzen Ananas (die man später in der Strandtasche ins Hotelzimmer schmuggeln kann), was das Servicepersonal zur Aufstockung der Vorräte zwingt. Auch hier teilt sich die Familie in zwei Gruppen auf. Sie unternehmen einen raschen Vorstoß zu den Tellern, der so schnell ist, dass der Feind davon überrumpelt wird. Dann kreisen sie den Büfett-Tisch ein, so dass es idealerweise keinen Punkt mehr gibt, der sich nicht unter der Kontrolle des Beate-und-Werner-Müller-Regiments befindet.

3) Das Ablenkungsmanöver
(vgl. Schlacht am Kursker Bogen)
Dies ist die komplexeste Büfett-Strategie, empfohlen nur für geübte und siegesbewusste Büfettkrieger. Funktioniert am besten mit einer Vielzahl von Kindern. Wenn nötig, borgen Sie sich welche aus – bei verbündeten deutschen Familien. Ein potentielles Szenario: Aus irgendeinem unerfindlichen Grund sind die Briten heute bereits vor 9 Uhr im Speisesaal des Hotels aufgetaucht. Sie sind noch etwas schlaftrunken (bzw. verkatert von ihrer Zechtour am Abend zuvor) und marschieren schnurstracks in Richtung Kaffee und Rühreier mit Speck – und versperren somit den Zugang zum Büfett.

Die einzige erprobte Gegenstrategie sieht so aus: Entsenden Sie eine Vorhut von mindestens drei lärmenden, nasebohrenden Kindern. Dann arbeiten Sie sich selbst im Zickzackkurs bis an die Anrichte vor, wobei Sie den abziehenden Briten noch mal ordentlich auf die Sandalen steigen und den Ellbogen in den Schritt rammen.

Und dann: Vorwärts, Marsch! Reißen Sie sich die komplette linke Seite des Büfetts unter den Nagel.

Aber Vorsicht: Diese Strategie erfordert regelmäßiges Training!

Zehn Berufe, die es nur in Deutschland geben kann

1. Stauberater: Psychotherapeuten auf Motorrädern, die versuchen, den festsitzenden Autofahrern ihre Aggressionen auszureden. Besonders beschäftigt sind sie bei so fröhlichen Anlässen wie dem ersten Tag der Schulferien.

2. Wehrbeauftragter: Sie sind grundlos zornig, fühlen sich ungeliebt und weinen sich jede Nacht in den Schlaf? Hier ist der Mann, bei dem Sie sich ausheulen können – vorausgesetzt, Sie sind Soldat.

3. Schornsteinfeger: ein Berufsstand, der in allen anderen europäischen Ländern langsam ausstirbt. Nicht so in Deutschland. Dank der mafiösen Strukturen des Schornsteinfegerverbandes, der sich immer noch auf ein 1937 unter Heinrich Himmler eingeführtes Gesetz beruft, dürfen diese zwielichtigen, schwarzgewandeten deutschen Glückssymbole jederzeit in Ihre Wohnung eindringen und Ihren Schornstein inspizieren – selbst wenn Sie gar keinen haben. Die Kosten: 130 Euro pro Besuch. Na dann: Glück auf!

4. Currywurst-Tester: Irgendwer muss ja schließlich am lebenden Objekt testen, ob dieses bizarre Berliner Wurst-Wahrzeichen auch mit genau der richtigen Mischung aus Chili, Curry und Ketchup daherkommt.

Die Wurst kann mit oder ohne Darm serviert werden. Auch der Tester wünscht sich manchmal ein Dasein ohne Darm. Er ist der schlankste Beamte in ganz Berlin: Durchfall als Berufskrankheit.

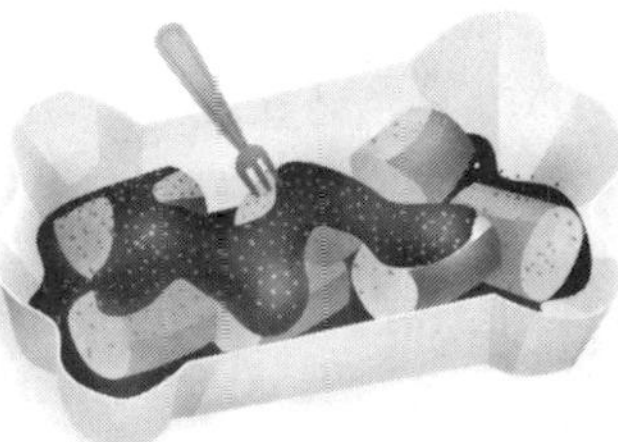

5. GEZ-Schnüffler: Tatort-Kommissare, die beim Bullendiplom durchgefallen sind. Sie müssen irgendwie in Ihr Haus gelangen, um zu beweisen, dass Sie illegalen Empfang haben. Ihre einzige Chance: Tun Sie einfach so, als hätten Sie noch nie etwas von der »Lindenstraße« oder «Gute Zeiten, schlechte Zeiten« gehört. Am besten geben Sie sogar vor, Sie gehörten den Amish People an. Und immer schön daran denken: Der GEZ-Mann ist ein gescheiterter Polizist, den man hinters Licht führen kann!

6. Bademeister: Ist mit der englischen Übersetzung *lifeguard* (die harmlosen, hochattraktiven Baywatcher mit ihrer Solariumsbräune) nur unzureichend wiedergegeben. Der Bademeister regiert sein Schwimmbad wie ein Feldwebel: Kein kleiner Junge pinkelt unbemerkt in den Pool, kein nasses Handtuch bleibt am Boden liegen, und kein muslimisches Mädchen entkommt durch die Hintertür, nur weil es seinen Körper nicht zeigen will. Ein Bademeister sieht alles.

7. Crash-Tester beim ADAC: Automobilclubs gibt es auch in anderen Ländern, aber mit diesem kann sich keiner messen: sechzehn Millionen Mitglieder. Das entspricht in etwa der Einwohnerzahl der ehemaligen DDR. Es ist also nur natürlich, dass die Autotester sich benehmen, als wären sie der ganzen Nation verpflichtet. Nur ein Beispiel: Der ADAC beurteilte die Sicherheit des »Brilliance BS 6« aus China, einer Limousine, die deutschen Wagen sonst möglicherweise Konkurrenz gemacht hätte, als mangelhaft. Mit dem Ergebnis, dass die Chinesen vom deutschen Automarkt ausgeschlossen bleiben. Und BMW und Mercedes sich wieder ein bisschen sicherer fühlen dürfen. Die Deutschen nennen die ADAC-Leute Gelbe Engel. Was die Chinesen über den ADAC sagen, kann man nicht guten Gewissens in einem Buch abdrucken, das auch von Minderjährigen gelesen werden soll.

8. Hundesteuer-Eintreiber: Verkleidet als Hartz-IV-Empfänger oder als Student, lungert er in Parks oder an Straßenecken herum und tut so, als würde er die Zeit totschlagen. In Wahrheit beobachtet er Ihre Töle. Wenn die nicht die vorgesehenen Marken um den Hals hat, folgt er dem armen Tier bis nach Hause – und knöpft seinem Halter Geld ab. Ein äußerst sinnvoller Beruf. Tipp: Wenn Sie erwischt werden, behaupten Sie einfach, bei Ihrem mutmaßlichen Hund handle es sich in Wahrheit um eine seltene Katzenart.

9. Müllkontrolleur: Irgendjemand hat irgendwo seine Katzenfutterdose nicht richtig ausgewaschen? Ein Fall für den Müllkontrolleur. Er ist wie der erbarmungslose Sheriff aus »Auf der Flucht«: jede Woche eine neue heiße Spur. Eine solche Tätigkeit erfordert aber auch ein besonders feines Gespür für sensible

Fragen. In welche Tonne kommt ein Kondom? Ist doch klar: in die gelbe. Aber was, wenn das Kondom ... nun ja ... gefüllt ist? Ihr Abfallberater kennt die Lösung dieses und noch vieler weiterer Rätsel der Wegwerfgesellschaft.

(Lösung: Der Kondominhalt kommt in die grüne Tonne, das Kondom selbst – ausgewaschen! – in die gelbe, zusammen mit der Katzenfutterdose.)

10. DIN-Experte: Deutschland braucht Normen: den Bildungskanon, die Leitkultur, die Immigrantenprüfung. Aber Sekunde mal – es gibt doch schon seit einer Ewigkeit das Deutsche Institut für Normung. Seit 1922, als das DIN erstmals die korrekten Abmessungen für ein deutsches Blatt Papier festlegte, wird Deutschland von DIN-Experten vermessen. Diesen Anti-Helden ist es im Alleingang gelungen, Deutschland zum langsamsten Land in ganz Europa zu machen. Wer dem DIN-Standard nicht entspricht, wird Deutschland niemals durch den Haupteingang betreten. Und wer keine 23 Formulare ausfüllt und mehrere Jahre Wartezeit einkalkuliert, kann sich auch den Lieferanteneingang abschminken. Da kann man den DIN-Experten nur zurufen: Chapeau! (DIN ISO 6490)

Be kind zu Kindern

In Großbritannien ein Kind zu sein heißt, im großen Stil ignoriert zu werden. Briten lieben Hunde, aber keine Kinder. Kinder sind entbehrlich und werden nach der Geburt schnellstmöglich ins Internat geschickt und erst dann akzeptiert, wenn sie in der Lage sind, ein vernünftiges Gespräch zu führen – oder was Erwachsene dafür halten.

Entgegen dem düsteren Selbstbild der meisten Deutschen haben es Kinder hierzulande besser. Wer hat schließlich den Kindergarten erfunden? In Deutschland gibt es mehr Kinderspielplätze pro Einwohner als in jedem anderen Land. Zugegeben, sie sind oft verwaist – aber das ist genau der Punkt: Kinder sind so selten geworden, dass sie schon Sammlerwert haben. Zwar werden sie nicht besonders nett behandelt, aber ein Objekt der Neugier sind sie allemal. Viele deutsche Paare haben anscheinend vergessen, wie sich die Gattung reproduziert, und glotzen daher nur verständnislos, wenn vor ihren Augen ein Kind auftaucht – sei es am Restauranttisch oder in Begleitung der Mutter im Büro. Als wollten sie sagen: Wo kommt *das* denn her? Es scheint Konsens zu sein, dass es sich bei Kindern um Außerirdische handeln muss.

Und so ist die Fortpflanzungsrate naturgemäß niedrig: 1,3 Kinder pro Familie, wobei viele Familien es aus finanziellen Gründen bei 0,3 Kindern bewenden lassen.

Die gute Nachricht ist freilich, dass die deutschen Kinder fetter werden. Es gibt zwar weniger Kinder, aber ihr Gesamtgewicht in Bruttoregistertonnen bleibt stabil. Mögen die Deutschen auch aussterben, sind sie doch nach wie vor ein Schwergewicht unter den Nationen.

McDonald's sei Dank.

Alpenpolka

Es ist Samstagabend, die beste Zeit also, um essen zu gehen oder einen Film im Kino zu sehen – oder sich einfach mit Freunden zu treffen. Von wegen.

Für sechs Millionen Deutsche ist es die Zeit, zu der sie den Volksempfänger einschalten und sich Florian Silbereisen reinziehen, einen blondierten schmalhüftigen Sänger, dem ein Dirndl sicher besser stehen würde als die hellen Hosen, die er üblicherweise trägt.

Die politische Stoßrichtung geben »Die Schäfer« vor:

Ich lache mit dir, ich träume mit dir
Mein Heimatland
Ich leide mit dir, ich teile mit dir
Mein Heimatland.

Oder das Oldenburger Duo Judith und Mel:

Mein Hawaii heißt Norderney,
Borkum und Föhr ist's
Worauf ich schwör.

Volksmusik ist mit anderen Worten etwas für Leute, denen im Flugzeug schlecht wird. Sozusagen die Nationalhymne von Deutsch-Balkonien. Die Ossis lieben sie, weil sie ihnen die beruhigende Gewissheit gibt, dass sie in vierzig Jahren real existierendem Daheimbleibe-Sozialismus nichts verpasst haben.

Doch es wäre falsch, die Volksmusik als braune Verschwörung anzusehen, obwohl das natürlich das Erste ist, was britischen Kommentatoren dazu einfällt. Hans Beierlein, der Wiederentdecker von Heino, hat die Fangemeinde der Volksmusikanten analysiert: 80 Prozent sind Sozialdemokraten, und der Anteil der Gewerkschaftsmitglieder ist sogar noch höher. Nun, wenn das stimmt und man dazu noch weiß, dass sich die Silberlinge der »Kastelruther Spatzen« in Deutschland vierzehnmillionenmal verkauft haben, dann sieht das Land einer dauerhaften SPD-Regierung entgegen. Womöglich ist der Heino-Manager hier auf ein verborgenes Juwel politischer Weisheit gestoßen. Die deutsche Sozialdemokratie ist wie ihr schwedisches Pendant zur Partei der Heimatliebe geworden, gewerbsmäßige Nostalgiker für eine heile Welt. Wie sagt Stefanie Hertel doch so schön:

Wir bauen uns ein Häuschen aus Sonnenschein.
Da lassen wir keinen von draußen rein.

Ja, bei der Volksmusik am Samstagabend, da sind wir unter uns.

Small Talk für Einsteiger

Die Briten halten sich gern für die Meister des Small Talks. Durch jahre-, ach was: jahrhundertelanges Teetrinken mit Fremden in entlegenen kolonialen Außenposten sind sie geübt darin, stundenlang zu plaudern, ohne etwas zu sagen. Die Queen ist im Prinzip ein Leben lang mit einer einzigen Gesprächsvariante ausgekommen.

> Q: Und woher kommen Sie?
> A: Aus Deutschland (oder Sibirien, oder Kenia …), Ma'am.
> Q: Ach, wie interessant.

In Wahrheit waren die Briten nie besonders gut im Konversation-Betreiben. Der klassische Small Talk dreht sich ja ums Wetter, da es so ziemlich das Einzige ist, was sich in der britischen Gesellschaft je ändert. Entscheidend beim Wettergespräch ist, dass man der Person, die man eben erst kennengelernt hat, grundsätzlich beipflichtet, ganz egal, wie absurd ihre Behauptung ist:

> »Ist das nicht ein wunderschöner Tag?«
> »Ja, nicht wahr?«

Nun könnte es auch sein, dass der Himmel dunkel dräut und ein Gewitter im Anmarsch ist – dann wird

Ihr kleiner Austausch (sofern jemand mitgehört hat) als schönes Beispiel für britische Ironie herangezogen.

Nur leider ist das Wetter als solches seit der drohenden Klimakatastrophe auf einmal zu einem interessanten Thema geworden und beraubt die Briten so einer ihrer Hauptquellen für sinnfreie Kommunikation.

Heutzutage ist es für einen Briten kaum noch möglich, an einem ausländischen Strand zu sitzen und auf die übliche belanglose Weise mit Landsleuten (blasse Haut mit Tendenz zum Hummerfarbenen, Thermoskanne Tee, *Times* von vorgestern) ins Gespräch zu kommen.

»Sieht ein bisschen nach Regen aus.«
»Ja, nicht?«
»Und recht windig.«
»Ja, ziemlich kabbelige See.«
»Ganz schöne Wellen, was?«
»Ja, doch recht groß.«
»Könnte glatt einer von diesen … wie heißen die Dinger gleich noch mal?? … Tsunamis sein!!?«
»Meinen Sie, wir sollten lieber loslaufen?«
»Ja, ich denke, das wäre gar keine so schlechte Idee. Die Welle ist jetzt doch recht nah.«
»Aaaaargh!«
»Genau, aaaaargh!«

Die Deutschen mit ihrer speziellen Form von Direktheit haben nie jenes britische Klein-Klein beherrscht, mit dem man das Geräuschvakuum füllt – ob in Aufzügen, Flugzeugen (man kann sich schließlich nicht immer hinter einer *FAZ* verstecken) oder auf Cock-

tailpartys. Deutschland besitzt viele Talente. Es hat großartige Komponisten hervorgebracht (Ralph Siegel, Die Toten Hosen), ausdrucksstarke Schauspielerinnen (Verona Feldbusch), geschliffene Diplomaten (Desiree Nick) und den schnellsten Liebhaber der Welt (Boris Becker). Aber auf dem Small-Talk-Ohr ist es taub. Unter den Deutschen scheint vielmehr das Gefühl verbreitet zu sein, dass Schweigen wünschenswert oder gar würdevoll sei – frei nach Oscar Wilde: »Gesegnet seien jene, die nichts zu sagen haben und den Mund halten.«

Die Wahrheit ist freilich, dass in dieser globalisierten, beschleunigten Welt Schweigen etwas für *Loser* ist.

Das Kunststück besteht darin, den richtigen Weg aus dem Schweigen zu finden, wobei der Ton eine wichtigere Rolle spielt als der Inhalt. Ausnahmslos. Die erste britische Lektion für die Deutschen ist, dass der Small Talk immer eine gewisse Leichtigkeit haben sollte – es ist etwas anderes, als in einer Stahlhütte zu arbeiten oder in Wolfsburg am Fließband. Vor allem sollte man Konversation nicht mit Witze-Erzählen verwechseln. Ob Blondinenwitze, Polenwitze oder seit neuestem Merkelwitze: Der Witzbold ist der Totengräber des Small Talk. Die einzige angemessene Reaktion ist, ihm Einhalt zu gebieten (es ist fast immer ein »Er« – deutsche Frauen sind viel zu schlau), bevor er den Abend zu einem Humormarathon ausarten lässt. Dafür bieten sich vier Möglichkeiten an:

1.) Wenn der Witz rassistisch oder diskriminierend ist, identifizieren Sie sich mit dem Opfer! Sagen Sie nach einer kurzen Pause, ohne zu lächeln: »Wirklich zum Schießen. Mein Vater war blind, meine Mutter ist Türkin und meine Schwester eine kleinwüchsige Blondine, insofern konnte ich durchaus verstehen, was daran lustig ist.«

2.) Wechseln Sie das Thema. Nicken Sie nach der Pointe und sagen Sie mit einem Pokerface: »Wie geht's denn eigentlich Ihrem Sohn? Ist der schon wieder aus dem Gefängnis/der Entzugsklinik entlassen worden? Na, der hatte Sinn für Humor!«

3.) Gähnen Sie. »Entschuldigung, es war ein langer Abend.«

4.) Wenn der Witzbold Ihr Chef ist: Lachen Sie.

Die goldene Regel zum erfolgreichen Small Talk wurde von Wilhelm Busch aufgestellt, dessen hintergründige Boshaftigkeit beinahe etwas Englisches hatte. »Gute Unterhaltung besteht nicht darin, dass man etwas Gescheites sagt, sondern dass man etwas Dummes anhören kann.«

Da das Wetter als Small-Talk-Thema inzwischen ausfällt, sind Alternativen gefragt. Über ein Jahrhundert lang galten Krankheit, Politik und Religion als Tabuthemen für den Small Talk. Das ändert sich nun allmählich, doch der deutsche Small-Talker sollte immer daran denken, dass Trivialität das A und O ist. Nur so bringt der Small Talk immer wieder kleine Wahrheiten hervor.

Thema Krankheit: Briten (und Amerikaner) fragen gerne: *How are you?*, und erwarten die (in der Regel unaufrichtige) Antwort: *Fine, how are you?* Der Deutsche hingegen antwortet auf diese Frage für gewöhnlich mit »Kann nicht klagen«, nur um anschließend eine lange Liste mit den neuesten Wehwehchen runterzubeten. Dabei gibt es jede Menge Stoff für Gesundheits-Small-Talk, ohne dass man sich vor seinem Gesprächspartner quasi »freimachen« müsste. Dank Ulla Schmidt bieten sich zum Beispiel die gestiegenen Gesundheitskosten als Thema an. Sind die armen Patienten doch inzwischen gezwungen, sich zwischen einer Krankengymnastik und der neuesten Gucci-Tasche zu entscheiden. Ein guter Gesprächsaufhänger sind auch alternative Heilmethoden, weil sie stets ein Happy End suggerieren – und ein naher Tod als Konversationskiller gilt.

Sie: »Lange nicht gesehen.«
Ihr Bekannter: »Hab mir den Rücken gezerrt. Tut höllisch weh.«
Sie: »Versuch's doch mal mit Yoga. Hat mir gegen meine Migräne geholfen.«

Gut gemacht. Der Gesprächsverlauf ist positiv und zeigt, dass Sie auch eine spirituelle Seite haben. Doch die Unterhaltung könnte auch ins Negative kippen.

Ihr Bekannter: »Ich hab's mit Joggen versucht, aber das ist mir auf die Knie gegangen, und jetzt tut mir alles andere auch noch weh.«

Wie antworten Sie darauf? Jedenfalls nicht so: »Rücken? Knie? Klingt beunruhigend. Ich an deiner Stelle würde mir mal die Knochen röntgen lassen.«

Sagen Sie stattdessen: »Du brauchst wahrscheinlich einfach mal ein bisschen Erholung. Wohin geht's denn dieses Jahr in Urlaub?«

Thema Politik: Gilt traditionell als sensibles Thema. Politische Differenzen sollte man nicht in der Öffentlichkeit austragen.

Über *Sex* zu reden ist hingegen absolut akzeptabel. Folglich sollte sich zeitgemäßer Small Talk auf den Politiker als sexuellen *Performer* konzentrieren.

Ein Beispiel:

»Horst hat ja jetzt anscheinend eine Parallelfamilie (neudeutsch für uneheliches Kind von einer Geliebten).«

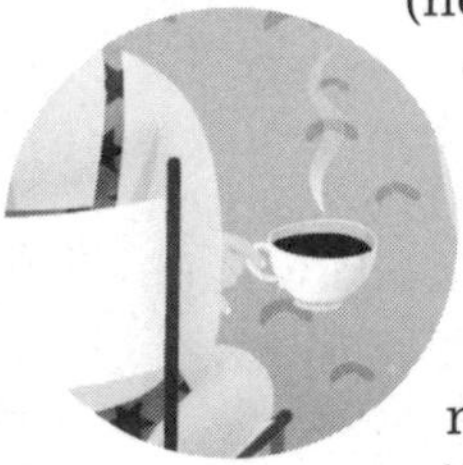

Sie: »Ja, die Kleine sieht wirklich niedlich aus. Ganz der Vater.«

So weit, so gut. Noch sind Sie auf der sicheren Seite. Neutral. Fahren Sie also nicht fort mit etwas wie: »Herrgott, wie weit ist es mit dieser Partei gekommen! Wo sind die christlichen Grundwerte geblieben? Überall nur noch Lug und Betrug!«

Das ist zu politisch. Und überdies dumm: Es gibt genügend uneheliche Kinder von Politikern, um eine eigene Bastard-Partei zu gründen.

Vermeiden Sie außerdem: »Zum Glück haben wir ja den Westerwelle!«

Versuchen Sie's stattdessen mit: »Na ja, besser eine Geliebte, als ins Bordell zu gehen.«

Was Ihr Gesprächspartner möglicherweise anzweifeln wird. »Wieso? Bordelle kurbeln wenigstens die Wirtschaft an.«

Worauf die korrekte Antwort lautet:

»Wenigstens kriegen wir so eine vernünftige Politik für allein erziehende Mütter. Weiter so, Horst!«

Thema Religion: Auch Gott gilt gemeinhin als ein zu großes Thema für Small Talk. Was natürlich Unsinn ist. Gott ist überall: in der *Bild*, in der *Gala* und in *Vanity Fair*. Und darum kann er auch ein Thema für Small Talk sein. Promis entdecken immer dann die Religion, wenn sie einen Karriereknick haben. Paris Hilton las im Gefängnis die Bibel (oder schaute sich zumindest die Bilder an). Und Tom Cruise und John Travolta haben ihren scientologischen Psycho-Gott.

Versuchen Sie es doch mal mit dieser todsicheren deutschen Small-Talk-Variante:

»Ich bewundere den Papst für sein Stilbewusstsein. Diese roten Schuhe!«

Das ist unverfänglich. Wen kümmert schon, was der Papst über Abtreibung denkt. Im Übrigen wissen wir doch: Hauptsache, wir sind Papst! Der Papst ist deutsch und auf der ganzen Welt berühmt: Das hat's seit Boris Becker nicht mehr gegeben.

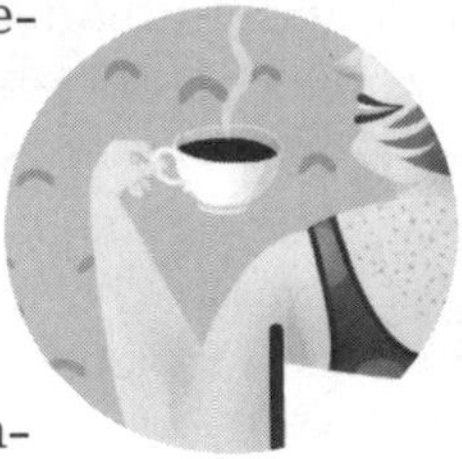

Sagen Sie also nicht: »Finden Sie wirklich, dass die Schuhe zu seiner Soutane passen?«

Sondern: »Wetten, der ist ein guter Tänzer?«

Fazit: Im Land der Talkshows muss auch Raum für Small Talk sein. Schnappen Sie sich also Ihren Briefträger und fragen Sie ihn über seine Gesundheit aus. Und denken Sie sich ein paar witzige Bemerkungen für die Schlange beim Bäcker aus. Sollten daraufhin aus unerklärlichen Gründen die Männer in den weißen Anzügen anrücken, komme ich Sie in der Nervenheilanstalt besuchen.

Versprochen!

Der Traumindianer

Wenn deutsche Frauen in Fisch-sucht-Fahrrad-Anzeigen die Helden ihrer Kindheit nennen, damit die männlichen Leser sich ein Bild von den erwünschten Eigenschaften machen können, fällt unverhältnismäßig oft der Name Winnetou – Karl Mays würdevoller Apatchenkrieger. Anscheinend würden sie alle nur zu gern in seinen Wigwam kriechen.

Für einen englischen Betrachter ist dies zunächst verblüffend. War Karl May doch ein Lügner und Dieb, der selber nie im Wilden Westen war. Der »Bärentöter«, der in seinem Haus in Radebeul hing, stammte aus Sachsen. Und der Winnetou, den die deutschen Squaws so sehr bewunderten, heißt Pierre Brice und ist Franzose – und die Filme, in denen er mitspielte, wurden allesamt in Jugoslawien gedreht. Winnetou ist also in etwa so authentisch wie eine BMW-Kopie aus chinesischer Produktion.

Doch Winnetou verfügt eben über Qualitäten, die Karl-Heinz oder Hajo aus der Dorfdisco nicht besitzen. Er ist weitgehend schweigsam, weiß, wie man Büffel fängt, und ist auf unaufdringliche Weise edelmütig. Old Shatterhand dagegen ist ein beschränkter, grobklotziger Cowboy, der auf seinem Pferd sitzt wie ein Beamter auf seinem Bürostuhl. Ein typisch deutscher Mann eben.

Die deutschen Frauen sind also beständig auf der Suche nach ihrem Traumindianer.

Und die deutschen Männer? Nennen als ihren Helden Michael Schumacher.

Frauen kämen von der Venus, heißt es, und Männer vom Mars. In Deutschland sind die Frauen in der Prärie westlich der Rockies zu Hause und die Männer auf dem Nürburgring.

Sie werden platziert

Im Englischen gibt es ein Sprichwort: *»Old soldiers never die, they simply fade away.«* Seit ich in Deutschland lebe, fasziniert mich die Frage, was eigentlich mit den alten Kellnern aus dem Osten passiert ist. Sind sie, wie die alten britischen Soldaten, einfach von der Bildfläche verschwunden? Oder liege ich mit meiner Vermutung richtig, dass sie noch immer irgendwo ihr Unwesen treiben? Immerhin verfügten sie ja über sehr spezielle Fähigkeiten.

Ehemalige Stasi-Mitarbeiter konnten aufgrund ihrer hervorragenden Ortskenntnisse nach der Wende ohne weiteres Taxifahrer werden. Schließlich kann man niemanden verhaften, wenn man nicht genau weiß, wo er wohnt. Die Hauptbegabung der DDR-Kellner lag darin, Kunden zu vergraulen. Warten Sie da! Sie werden platziert! Und das Ganze natürlich in einem Restaurant mit lauter leeren Tischen. Außerdem besaßen sie ein unnachahmliches Talent dafür, dem Gast zu sagen, was er alles nicht haben kann. Paprika-Broiler? Heute nicht im Angebot. Brot? Leider ausgegangen. Der DDR-Kellner war ein wahrer Meister der Ausflüchte und die Speisekarte ein rein fiktives Werk, eine Ausgeburt der Phantasie, wie ein Roman von Christa Wolf, von der im Übrigen der Satz stammt, das Schlimme an der DDR seien nicht so sehr die Parteifunktionäre gewesen, sondern die Taxifahrer und Kellner, die einen stets ihr bisschen Macht spüren ließen. Und wenn sich der schreckliche Augenblick, in dem man die Grilletta (= Hamburger) und die »Sättigungsbeilage« servieren musste, nicht mehr länger hinausschieben ließ, legte sich das wahre Kellnertalent noch ein spontanes Hinken zu, damit das Essen auch wirklich richtig kalt auf den Tisch kam. Dann wurde dem glücklichen Gast endlich der Teller vorgesetzt, mit einem ähnlich dumpfen Plumpsgeräusch, wie es der Otto-Katalog macht, wenn er im Briefkasten landet.

Was macht man mit einer solchen Berufung, wenn einem plötzlich der Staat, dem man die Ausbildung zu verdanken hat, unterm Hintern weggezogen wird? Nach der Wiedervereinigung fing der eine oder andere als Türsteher bei einer Disco oder einem Club an. Dort konnten die Exkellner ihr Talent gewinnbringend einsetzen, nach Herzenslust willkürliche Ablehnungen aussprechen und übertrieben unfreundlich sein.

Schon bald wurden sie allerdings gegen richtig harte Kerle ausgetauscht – türkische Bodybuilder und russische Wrestler. Daraufhin verschwanden die DDR-Kellner von der öffentlichen Bühne und gründeten einen Geheimbund, der sich einmal monatlich in Ostberlin traf. Dort kamen sie in einem Hinterzimmer zusammen, aßen Soljanka und sprachen über Karrieremöglichkeiten in Ländern mit besonders schlechter Gastronomie. Manche dachten sogar schon daran, nach Großbritannien auszuwandern.

Doch dann erreichte sie der entscheidende Ruf: Nordkorea brauchte Unterstützung bei der Umstrukturierung seiner Arbeiterkantinen. Und so leben viele DDR-Kellner heute glücklich in Pjöngjang und bringen dort wissbegierigen jungen Kommunisten bei, wie man die Geschmacksnerven der Kameraden am effektivsten ruiniert. Sie sind die Gurus der Polizeistaat-Küche geworden. Wen wundert es da noch, dass eine Hungersnot im Land herrscht?

Die Nordkoreaner kriegen vermutlich einfach nie einen Tisch.

Rettet den Dackel!

Kürzlich verbreitete eine Schlagzeile der *Bild*-Zeitung Angst und Schrecken bei Hundehaltern in ganz Deutschland: »Vom Dackel der Schwiegermutter entmannt«. Mein Gott, dachte ich, jetzt geht's los! Es war nur eine Frage der Zeit, bis dieses Land von Dackeln regiert werden würde!

Aber wie üblich erzählte uns *Bild* nur die halbe Wahrheit. Denn die Dackel befinden sich keineswegs in einem vorrevolutionären Erregungszustand, in dem sie, um die Macht an sich zu reißen, ihre Herrchen anfallen. Nein, sie sind schlichtweg verzweifelt: Die Dackel sterben aus. Während Labradorhunde, West Highland Terrier und Pudel – allesamt verdächtig ausländische Züchtungen – auf dem Vormarsch sind, verschwindet das vierbeinige Symbol Deutschlands, der Rauhhaardackel, immer mehr aus dem Blickfeld.

Die Deutschen werden doch wohl ihr Lieblingstier nicht einfach so kampflos aufgeben?

Langsam wird es höchste Zeit, sich für den bedrohten Vierbeiner starkzumachen: Rettet den Dackel!

Auch die Bundesregierung muss sich dringend dieser Krise annehmen. Wir brauchen nicht nur mehr Kitas, sondern künftig auch Datas. Das Finanzamt sollte endlich das Dackelhaltersplitting einführen. Und sämtliche deutschen Restaurants müssen in Zukunft Hundefutter servieren, nicht bloß McDonald's.

Wer ein echter Kraut sein will, der adoptiere einen Dackel. Aber dalli!

Bahn – Deutsch, Deutsch – Bahn

In meiner Jugend waren die Nervenheilanstalten voll von Patienten, die sich einbildeten, sie wären Napoleon. Wie der berüchtigte Franzose steckten sie die Hand in den Anstaltskittel und diskutierten mit ihren Mitinsassen am Frühstückstisch – keine scharfen Messer, kein Glas! –, wie sie die Welt in Stücke hauen würden. Anschließend verfrachtete man sie wieder in ihre Zellen.

Heutzutage spricht niemand mehr von Größenwahn, und so gut wie niemand leidet mehr darunter. Die letzte Zuflucht solcher verhinderter Bonapartes ist die Deutsche Bahn, deren Anführer Hartmut Mehdorn über mehr als 220 000 Beamte, Arbeiter und Manager gebietet. In seinem Berliner Hauptquartier, dem DB-Tower am Potsdamer Platz, zerreißt er mühsam ausgetüftelte Baupläne für Bahnhöfe, verscherbelt teure Filetgrundstücke, weil es ihm mit der Privatisierung nicht schnell genug gehen kann, verändert wöchentlich das komplette Tarifsystem – und denkt sich immer neue Wege aus, die Deutsche Bahn, die einmal Europas bestes Schienennetz hatte, endgültig in ein bürokratisches, fahrgastfeindliches Chaos zu stürzen.

Doch das Schlimmste, was Fürst Hartmut Deutschland angetan hat, ist die Bahn-Sprache. Kein Wunder, dass sich die deutschen Fahrgäste gegenüber ihrer eigenen Bahn wie ungebetene Gäste vorkommen.

Früher hieß sie »Deutsche Bundesbahn«. Daraus wurde die »Deutsche Bahn«. Und seit sie die deutsche Sprache vollkommen abgeschafft hat, heißt sie nur noch schlicht »Die Bahn«. Demnächst nennt sie sich dann wahrscheinlich »Rail to Go«.

Hier ein kleiner Sprachführer für den Berliner Hauptbahnhof und andere Bahnhöfe, die offenbar von einer fremden Macht übernommen wurden.

DEUTSCH	BAHN
Auskunft	Infopoint
Buchung per Mausklick	Surf & Rail
Ermäßigter Fahrpreis	Bahncard 25, Bahncard 50, Mobility Bahncard 100
Fahrkartenschalter	DB Mobility Center
Fahrradvermietung	Call a Bike
Nachtzug	InterCity NightExpress
Schaffner	Zugbegleiter
Speisewagen	Bord-Bistro
Wartesaal	DB-Lounge
WC	McClean

Doch das Hauptanliegen der Bahn scheint neuerdings darin zu bestehen, die Fahrgäste in die Geschäfte zu lotsen – der Bahnhof ist längst kein Ort mehr, wo man seinen Zug erwischt, sondern einer, wo man sein Geld ausgibt. Dass so viele Züge mit Verspätung eintreffen, passt hervorragend in die Geschäftsstrategie der Bahn – haben die wartenden Fahrgäste so doch mehr Zeit für einen Besuch bei Burger King und Häagen-Dazs. Und was soll man überhaupt von den merkwürdigen Ausreden halten, die einem für all die

Verspätungen angeboten werden? Ein reines Verwirrspiel.

BAHN	DEUTSCH
Lokschaden	Der Lokführer hat verschlafen.
Oberleitungsschaden	Es windet ein wenig in Deutschland. Der Wintereinbruch kam für uns völlig überraschend.
Weichenstörung	Laub ist auf die Gleise gefallen. Völlig überraschend ist es Herbst geworden.
Wir warten auf einen verspäteten Anschlusszug.	Rücken Sie schon mal zusammen, gleich wird's nämlich sehr eng im Zug!
Verspätete Übernahme aus dem Ausland	Scheiß-Ausländer!
Stromausfall im Speisewagen (Verzeihung: Bord-Bistro)	Die tiefgefrorene Gulaschsuppe kann nicht mehr in die Mikrowelle geschoben werden. Aber es sind noch ein paar vertrocknete Käse-Sandwiches da.

Irgendwann vor der Fußball-WM 2006 beschloss der Prinz von Bahnien, dass fürderhin alle Zugbegleiter in der Lage sein sollten, sich der englischen Sprache zu bedienen. Selbst die aus Sachsen, die bislang noch kaum dazu gekommen waren, Deutsch zu lernen. Und so schickte man sie alle auf Fortbildung. Leider traf der vorgesehene Kursleiter nie ein. Sein Zug war nämlich gestrichen worden, weil es im Sauerland einen unvorhergesehenen Regenguss gegeben hatte.

Der einzige verfügbare Englischlehrer war somit ein – äußerst netter – Japaner, der in Finnland ausgebildet worden war. Mit dem Resultat, dass nun sämtliche Zugbegleiter sozusagen in Bahnisch auf ihre Fahrgäste einreden: Sänk ju for träwelling wis deutsche Bahn … knister, knister … plies tejk ohl jua sings wis ju … wi wisch ju a pläsnd tschöörni.

Bloß nicht die Angst verlieren

Ein erstaunlicher Fall: In Mannheim beantragte ein gewisser Karl-Heinz Angst eine Namensänderung. Aber nicht etwa in Fröhlich, Wohlgemuth oder Zukunftssicher, sondern in – Aangst. Sein Ziel war nämlich, im Telefonbuch ganz oben auf der allerersten Seite zu stehen. Am liebsten hätte er wahrscheinlich noch ein Ausrufezeichen dahintergesetzt: Aangst! Die Behörden witterten politische Motive und verwehrten ihm die Namensänderung. Der Mann – selbstredend ein Lehrer mit zu viel Zeit – legte ein psychologisches Gutachten vor, das beweisen sollte, dass sein Name ihn aggressiv mache und daher geändert werden müsse. Aber es half nichts. Angst wird Karl-Heinz also ein Leben lang begleiten.

Was übrigens auch für das restliche Deutschland gilt. *Angst* ist eines der wenigen deutschen Wörter, die in den englischen Sprachschatz Eingang gefunden haben, zusammen mit *Kitsch, Schadenfreude* und *Weltschmerz*. Das Wort infiltrierte die englische Sprache irgendwann in den fünfziger Jahren. Bis dahin hatten wir gedacht, die Deutschen wären Furcht-los. Das Wort Angst kam mit den deutschen Juden, die vor den Nazis geflohen waren. Im Gepäck hatten sie die frohe Botschaft von Freud, Adler und Jung, die sie mit ihren eigenen Erfahrungen in der deutschen Gesellschaft in Beziehung setzten. Als sich mit der Zeit immer mehr Briten in Therapie begaben, wurde der

Begriff der *Angst* – der um so vieles bedrückender war als *fear* oder *terror* – Teil des normalen Sprachgebrauchs.

Und wo wäre Deutschland ohne Angst? Die Deutschen suchen ja ständig nach neuen Gründen, um sich gepflegt fürchten zu dürfen. Ganz oben auf der Angstliste steht von jeher die Furcht, den Job zu verlieren, in die Armut abzurutschen (neuerdings auch »Hartz-IV-Panik« genannt), die Angst vor Terrorismus und Krieg und die Angst, dass das Ersparte futsch sein könnte. Jeden Monat, so scheint es, kriecht etwas Neues unter dem Bett hervor, vor dem man Angst haben kann. Die Angst vor der Klimakatastrophe erzeugt dabei nützlicherweise weitere Unterängste: die Angst vor Hautkrebs, die Angst vor Überschwemmungen, die Angst vor einer Energiekrise, die Angst vor dem Untergang.

Für einen Briten haben globale Angstszenarien etwas seltsam Befreiendes. Am 26. Oktober 2008 soll ein Asteroid auf die Erde treffen? Wozu dann noch an die Altersversorgung denken? Plötzlich verliert die vage Absicht, für die völlig überzogenen Studiengebühren des eigenen Kindes Geld auf die Seite zu legen, deutlich an Dringlichkeit. Im Grunde kann man sich sogar sämtliche kleineren Hausarbeiten – das Abflussrohr richten oder den Rasen mähen – von nun an sparen. Gegen das Ende der Welt kann all das eh nichts ausrichten: Was könnte es für eine bessere Ausrede geben, die Dinge ein wenig schleifen zu lassen?

You can say you to me!

Bundespräsident Lübke war nicht gerade mit einem ausgeprägten Sprachgefühl gesegnet. Deutsche wie Briten lachten sich kaputt, als er seinerzeit auf die Queen zuging und ihr ein (wie er dachte) galantes Angebot machte: You can say you to me. Ein Satz, der im Englischen keinen Sinn ergibt, handelt es sich doch um eine blinde Übersetzung des Vorschlags, man könne ja zum »Du« übergehen. Indes beleuchtete er das Problem, wie man in einer Sprache, die anders als das Deutsche oder Französische keine Formen für die Unterscheidung zwischen du/tu und Sie/vous kennt, jemand zur Vertraulichkeit ermutigen soll.

In England muss man ständig auf der Hut sein. Der Chef mag einen durchaus beim Vornamen anreden und nett zu einem sein. Aber ist er deshalb Ihr Freund? Nein. Und redet er Sie immer noch mit dem Vornamen an, wenn er Sie rausschmeißt? Er tut es. Das Ganze ist sehr verwirrend und hängt oft von kleinsten Nuancen im Tonfall ab. Hätten wir nur so etwas wie eine Du-Sie-Unterscheidung, sagen viele Briten, dann würde hier mehr Klarheit herrschen: Die Ordnung wäre wiederhergestellt.

Doch halt! Ausgerechnet in dem Moment, wo sich die Briten nach mehr Förmlichkeit in ihrer Sprache verzehren, lassen die Deutschen ihre Du-Sie-Grenzen immer mehr verschwimmen.

Hier drei Beispiele für subversives Geduze im Alltag:

Das Fitnesscenter-Du
Muskelbepacktes Mitglied: »Bist du fertig mit den Hanteln?« (Subtext: »Die kriegst du doch eh nicht gestemmt, du Weichei.«)

Sie: »Ja, nimm sie ruhig.« (Subtext: »Bleib mir vom Leib, du Kotzbrocken.«)

Muskelmann: »Mach die Dinger doch bitte noch sauber.« (Subtext: »Ich stehe in der Darwin'schen Entwicklungshierarchie weiter oben als du. Schau dir meinen Bizeps an – und dann tu gefälligst, was ich sage!«)

Das SPD-Du:
Dabei handelt es sich um einen ganz besonders anmaßenden Fall von Sprachmissbrauch, denn es soll der Eindruck erweckt werden, die SPD sei eine Partei der Kumpel, Grubenarbeiter und Stahlbauer und nicht ein Zusammenschluss aus lauter bleichen, kurzatmigen Bürokraten. Als SPD-Kanzler steht man vor einem besonders großen Dilemma: Man vertritt ein Land (Sie) im Namen der Arbeiterpartei (du). Deshalb setzte der letzte SPD-Kanzler das Du und das Sie auch dafür ein, um zwischen wohlgesinnten und feindseligen Journalisten zu unterscheiden. Bei einer Pressekonferenz in einem heillos überfüllten Saal entdeckte der Kanzler beispielsweise einen Reporter aus Niedersachsen, einen FROG *(Friend of Gerd)*, konnte aber dessen Frage nicht verstehen.

»Kannst du die Frage bitte noch mal wiederholen, ich habe sie rein akustisch nicht verstanden. War aber bestimmt eine sehr kluge Frage.« (Allgemeines Gelächter.)

Und etwas später zu einem CDU-Reporter: »Ich

höre Sie nicht, Sie müssen deutlicher sprechen! Nächste Frage bitte!«

Das IKEA-Du:
Wir sind ein fröhliches, jung-dynamisches Unternehmen im Dienst eines schwedischen Milliardärs, der einen Volvo aus den siebziger Jahren fährt. Wir machen Möbel für alle, das ist unser Image, wir sind eine einzige große Familie. Und deshalb sagen wir natürlich grundsätzlich du.

> Verwirrter Kunde: »Können Sie mir zeigen, wo ich die Tullerö-Gartenmöbel finde?«
> Blonder IKEA-Roboter: »Da musst du zwischen den Thor-Duschen durch und rechts an den Henning-Mankell-Regalen vorbei, da stehen dann die Tullerös. Du schaffst das schon!«
> Kunde: »Äh ... ja, vielen Dank.«
> IKEA-Roboter: »Du, kein Problem.«

Deutsche Firmen gehen zunehmend zum Du über, nicht nur unter gleichgestelltem Fußvolk, sondern auch als Teil der vertikalen Kommunikation. Man wird nicht nur von seinem Chef geduzt, man darf ihn auch zurückduzen – und danach das fünfsekündige peinlich berührte Schweigen abwarten. Es gibt ganze Geheimbünde in deutschen Chefetagen, die darüber entscheiden, wer sich nun tatsächlich von unten nach oben duzen lassen darf. Aber das Entscheidende ist immer, das hierarchische Du auf keinen Fall mit einem Freundschafts-Du zu verwechseln. Es hat schon zu äußerst abrupten Karriereenden geführt, wenn ein Mitarbeiter seinen Chef auf Facebook oder MySpace auf der Grundlage des firmenintern verordneten Dus als »Freund« aufgelistet hat.

Mein Rat an euch Deutsche:

- Widersteht dem neuen relaxten MTV-Deutsch und bleibt beim Sie.
- Nennt den Kollegen oder die Kollegin im Büro bis an sein/ihr Lebensende Herr oder Frau Müller – selbst wenn ihr euch in ihn/sie verliebt.
- Überhaupt solltet ihr Deutschen dem aggressiven Duzen Einhalt gebieten, indem ihr es für illegal erklärt und ins Strafgesetzbuch aufnehmt.

Der Ball war drin

Eine der charmantesten Eigenschaften der Deutschen ist ihre Fähigkeit, Irrtümer einzugestehen. Zugegeben, dieser Prozess kann gelegentlich ein, zwei Jahrzehnte dauern, doch irgendwann kommt jeder Deutsche zur Vernunft. So wurden aus Achtundsechzigern, die »Macht kaputt, was euch kaputtmacht« schrien, respektable Politiker mit Chauffeur, die höchstens ihre Ehen kaputtmachen.

Es gibt allerdings einen Typus deutscher Mann, der niemals zugeben wird, dass er sich geirrt hat: den Wembley-Tor-Mann.

Seit 1966, als der englische Spieler Geoff Hurst ein brillantes Tor erzielte, das England den Weltmeistertitel sicherte, herrscht ein leises Grummeln an deutschen Stammtischen. Und nicht nur dort. Seit vier Jahrzehnten studieren Mathematiker, Physiker und Filmanalytiker nun schon dieses Tor, um den Beweis zu erbringen, dass Deutschland betrogen wurde. Ein Streit, der niemals enden wird. Jede Wette, dass es 2066 ein Symposion von Torologen geben wird (vielleicht gibt es bis dahin sogar einen Nobelpreis für Wembleywissenschaften), bei dem einmal mehr die Frage erörtert werden wird, warum der Ball vor und nicht hinter der Linie war.

Die Engländer sind da deutlich entspannter – sie wissen, dass nur ein Wunder oder eine Atombombe, die Südamerika und weite Teile Europas zerstört, ihnen noch mal zu einem Weltmeistertitel verhelfen wird. War es nicht ein Schweizer Schiedsrichter, der das Tor gab? Und ein russischer Linienrichter, der sah, wie der Ball die Linie überquerte?

Es geht das Gerücht, dass der russische Linienrichter noch auf dem Sterbebett gefragt wurde, wie er sich so sicher sein könne, dass der Ball im Tor war. Der Legende nach überlegte er eine Weile und sagte dann nur ein Wort: Stalingrad. Der Ball war also drin – und zwar nicht so sehr wegen der Sehkraft des Linienrichters, sondern wegen seines Geschichtsbewusstseins.

So kann man auch ein Fußballspiel gewinnen. Und Weltmeister werden.

Schlängeln statt drängeln

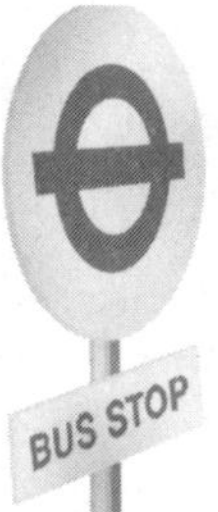

Die Briten bilden sich ein, sie hätten das Schlangestehen erfunden, und sind zu allem Überfluss auch noch stolz darauf. Würden die Engländer eine vergleichbare Standortinitiative ins Leben rufen wie »Deutschland: Land der Ideen«, stünde das Anstehen sicher weit oben auf der Liste der nationalen Qualitätsmerkmale – zusammen mit dem Rolls-Royce und dem geschnittenen weißen Toastbrot. Die Deutschen halten wir für chronische Vordrängler. Das ist aus unserer Sicht eine Art zivilisatorische Wasserscheide. Der Engländer erlegt sich selber eine Ordnung auf, die er für gleichermaßen rational wie demokratisch hält. Der Deutsche hingegen akzeptiert nur von oben diktierte Schlangen. Zum Beispiel wenn ein Schild ihm sagt, was er zu tun hat, möglichst mit Ausrufezeichen: »Stellen Sie sich an, bis Ihr Name aufgerufen wird!« Oder in Behörden, wo man eine Nummer aus einem Automaten ziehen muss und anschließend herumsitzt, als warte man darauf, dass die Lottofee die richtige Entscheidung trifft.

Überdeutlich zeigt sich der Unterschied zwischen den Deutschen und dem Rest der Welt in der Schlange vor dem Skilift. Der englische Autor A. A. Gill berichtete von einem Zusammenstoß zwischen einer Gruppe deutscher Nachzügler und Engländern, die seit den frühen Morgenstunden ordnungsgemäß an der Seilbahn anstanden. Gill zufolge gelang es den Deutschen irgendwie, mühelos an den Anfang der Schlange zu gelangen und als Erste die Kabine zu besteigen, von wo sie dann selbstgefällig nach draußen auf die frustrierten, selbstmitleidigen Engländer hinunterschauten. »Just in dem Moment, als die Kabine sich in Bewegung setzte, trat ein schmächtiger Engländer mittleren Alters auf die Einsteigeplattform. In aller Seelenruhe löste er die Skier

der Deutschen aus ihrer Befestigung und legte sie mit übertriebener Präzision auf der Plattform aus. Worauf die Schlange«, wie sich Gill erinnert, »in ein polyglottes Gejohle ausbrach und dem kleinen Engländer auf den Rücken klopfte.« Die deutschen Drängler mussten also wieder bis ganz nach unten zur Talstation fahren, um ihre Skier abzuholen. Ihr Morgen war im Eimer. Doch was Gill am meisten beeindruckte, war, dass der kleine Held anschließend wieder an seinen Platz in der Schlange zurückkehrte.

Das Anstellen gehört von Anfang an zu unserem Leben, vom Moment der Geburt an (wo man uns auf die Warteliste für eine gute Schule setzt) bis zu dem Tag, an dem unsere lieben Hinterbliebenen sich die Hacken ablaufen müssen, um uns ohne dreiwöchige Verzögerung einäschern zu lassen. Wenn britische Patienten nach Deutschland fahren, um sich eine neue Hüfte einsetzen zu lassen (die Warteliste zu Hause ist einfach zu lang), gilt das als unpatriotisch. Sie sollen gefälligst warten, bis sie dran sind, selbst wenn das unerträgliche Schmerzen zur Folge hat. Sollte das in Ihren Ohren übertrieben altmodisch klingen, möchte ich Sie daran erinnern, dass junge Engländer zu den geduldigsten Anstellern überhaupt zählen: Stundenlang stehen sie an, um sich Karten für ein Konzert der Arctic Monkeys zu kaufen, oder harren acht Tage lang in einer Schlange aus, um ein Luxus-Apartment mitten in Exeter zu erstehen.

In einem Punkt können wir jedoch von den Deutschen lernen: Wenn sie denn schon die Notwendigkeit sehen, sich überhaupt anzustellen, dann gehen sie die Sache sehr schlau und pragmatisch an (galt dies früher nicht mal als englische Stärke?). Als ich einmal mit einem Billigflieger von Berlin-Schönefeld nach London reiste, stand ich geschlagene 45 Minuten vor dem Check-in-Schalter Schlange, wartete 15 Minuten an der Sicherheitskontrolle und hastete dann zum Flugsteig, wo mich eine weitere Schlange aufhielt (es war freie Platzwahl). Nach der Landung stand ich erst am Gepäckband und dann noch mal 30 Minuten an der Passkontrolle an, wo ich in 20 Sekunden abgefertigt wurde. Weitere zehn Minuten gingen für den Kauf einer Fahrkarte von Stansted nach London drauf. Willkommen in der Moderne. Am Bahnhof Liverpool Street stand ich schließlich mit einem bedeutenden deutschen Professor für Arbeitsmarkt- und Berufsforschung in der Schlange vor dem Taxistand.

Nachdem er sich mir ungefragt vorgestellt hatte, riet er mir ebenso ungefragt, mich beim Einchecken nie hinter jemandem anzustellen, »der irgendwie arabisch aussieht. Das Flughafenpersonal ist nämlich angehalten, diese Leute genauer zu überprüfen als Sie und mich.«

»Ist das nicht rassistisch?«

In der Vorstellung eines Engländers ist die Schlange so etwas wie die Vereinten Nationen im Kleinen: Alle Menschen sind gleich.

»Natürlich nicht. Das trägt einfach nur den globalen Realitäten Rechnung. Und wenn Sie durch die Sicherheitskontrolle gehen, stellen Sie sich nie dort an, wo besonders viele Frauen anstehen. Die versuchen immer irgendwelche Flüssigkeiten mit an Bord zu nehmen und brechen dann einen Streit vom Zaun. Frauen können nicht ohne Flüssigkeiten leben.«

»Ist das nicht sexistisch?«, brachte ich meine Zweifel zum Ausdruck und fragte mich, als endlich ein

Wagen kam, ob es sich eventuell vermeiden ließe, mir mit dem Professor ein Taxi zu teilen.

»Und wenn Sie zum Gate gehen, steigen Sie immer als Letzter in den Bus, wenn die Sitze an Bord nicht nummeriert sind. Wer zuletzt einsteigt, sitzt zuerst im Flieger.«

Der Professor tippte sich an den schütteren Schädel und sagte: »Köpfchen, Herr Boyes, Köpfchen ... Und jetzt, wenn Sie mich entschuldigen.« Sprach's und watschelte ans vordere Ende der Schlange, wo er in das eben angekommene Taxi stieg, ehe die anderen Leute wussten, wie ihnen geschah. Eine Welle unausgesprochenen Ärgers schwappte durch die wartende Menge – verflüchtigte sich aber bald wieder, als weitere *Black Cabs* auftauchten. Der Professor hatte recht: Die Deutschen gehen pragmatisch an das Thema Schlange heran, die Briten eher emotional. Deshalb sind die Deutschen auch morgens immer die Ersten auf der Piste und bekommen stets den besten Tisch im Restaurant.

PS: Mein bizarrstes Schlangen-Erlebnis hatte ich im Berliner KitKatClub, einem Erotik-Nachtclub, wo ich für einen Artikel über das ausschweifende Berliner Nachtleben recherchieren wollte. In der Schlange vor mir standen – Samstagnacht um zwei – mindestens sechzig Leute, von denen manche Latex und andere Leder trugen. Einer war unter seinem offenen Regenmantel völlig nackt. Ungewöhnlicherweise drängelte sich niemand vor, wenngleich sich ein Paar vor mir sorgte, dass sie zu spät kommen könnten, um das Folterkreuz zu buchen. Schließlich erreichte ich den Anfang der Schlange.

»Sie können hier nicht rein«, sagte der Türsteher, während er mich mit abschätzigem Blick musterte.

»Aber wieso denn nicht?«, beschwerte ich mich. »Ich stehe schon seit über einer Stunde an.«

Der Türsteher wandte sich wortlos ab und rief: »Der Nächste!«

Es muss wohl an dem Tweed-Sakko gelegen haben, das ich anhatte.

Achtung! Die Tommys kommen!

Die Engländer gelten ja allgemein als Sprachtrottel. Ihre französischen Sprachkenntnisse beschränken sich auf »oui«, »non« und »Voulez-vous coucher avec moi?«. Letzteres ist zum Refrain eines Popsongs verkommen und so ziemlich der einzige Satz, an den sich britische Teenager erinnern, wenn sie La Grande Nation besuchen.

Doch die Deutschkenntnisse eines englischen Schülers sind schon etwas ausgeprägter – vor allem dank der spektakulären Comic-Reihe *Commando* – eine kleinformatigere, aber deutlich dickere Version der Micky-Maus-Heftchen, die deutsche Kinder im selben Alter lesen. Die Comics sind in Schwarzweiß und erzählen alle dieselbe Geschichte von der Tapferkeit der Briten im Krieg gegen die *Krauts*, die *Jerries* und die *Huns* – also die Deutschen.

Die wichtigsten deutschen Sätze in diesen Geschichten lauten:

»Hände hoch!« (was in der Regel damit endet, dass der englische Soldat den Urheber dieses Befehls erschießt)

»Achtung, Minen!« (die Aufschrift eines Schildes in Rommels Wüste, versehen mit einem Totenkopf)

»Donner und Blitzen!« (und nicht etwa »Blitz und

Donner« – ja, so stellen sich die Engländer die deutsche Sprache vor!)

»*Zu Befehl!*« (Ausruf eines die Hacken zusammenschlagenden Soldaten)

»*Jawohl, Herr Obersturmbannführer!*« (eigentlich zu lang für die meisten Comic-Sprechblasen – weshalb »Herr Major« oft eine beliebte Alternative ist)

»*Vorwärts!*« (Ausruf eines pistolenschwenkenden deutschen Offiziers)

»*Arrrrgh!*« (immer mit vier »r«!)

Wenn Sie also das nächste Mal einem Fußballspiel zwischen Deutschland und England beiwohnen (mein Tipp: Deutschland gewinnt im Elfmeterschießen), dann seien Sie nicht allzu überrascht vom reichen deutschen Wortschatz der englischen Fans: Die Deutschkenntnisse sind dort auf dem Stand von 1940 eingefroren.

Wie man einen Kriegsfilm dreht

Krieg ist furchtbar. Aber Krieg im Kino (mit einer Tüte vorsätzlich explodiertem Mais in der Hand) ist einfach nur peinlich. Denn britische Kriegsfilme erzählen uns mehr über das Klassensystem als übers Kämpfen. Und die oberste Botschaft lautet: Der Krieg ist ein einziges großes Spiel. Deutsche Kriegsfilme hingegen werden offenkundig von frustrierten Lehrern gedreht, die auf der Suche nach pädagogisch wertvollen Antihelden sind. Ihre Botschaft: Der Krieg ist zu wichtig, als dass man ihn Politikern und Generälen überlassen sollte.

Das Resultat: Während britische Kriegsschilderungen in der Regel ebenso unbeschwert wie unplausibel wirken, sind deutsche Kriegsschilderungen pädagogisch wertvoll, historisch genau – und sterbenslangweilig.

Den englischen Filmemachern fiel bereits kurz nach dem Zweiten Weltkrieg auf, dass man Kriegsgefangenenlager darstellen konnte wie britische Internate: Da gab es einen ähnlichen Kodex und eine ähnliche Gruppendynamik, es gab Schikanen, Heimweh und die ständige Notwendigkeit zu improvisieren. Und wie in der Schule wollte jeder nur weg. In der Realität jedoch gelang nur sehr wenigen Gefangenen der Ausbruch aus ihrem Lager, es war praktisch unmöglich. Doch diese historische Tatsache konnte man auf der Leinwand natürlich nicht erzählen – viel zu nüchtern, viel zu undramatisch. Hier ein typischer Dialog aus einem englischen Kriegsfilm:

»Heute Nacht ist es so weit, Archie.«

»Ja, stimmt. Die Jerries haben sowieso Tomaten auf den Augen.«

»Wir haben beschlossen, dass wir das Segelflugzeug nehmen, um die Lagermauern zu überwinden.«

»Du meinst das Segelflugzeug, das wir heimlich in der Schreinerei gebaut haben?«

»Genau das. Sergeant Evans hat es gleich neben der Messe der Jerries versteckt.«

»Gut gemacht, Evans!«

»Ich würde zu gern das Gesicht von Hauptmann von Strumpf sehen, wenn er merkt, dass wir ihn überlistet haben!«

»Ja, ich auch!«

Dagegen hört sich der typisch deutsche Kriegsfilm-Dialog so an:

Tapferer Oberst mit Augenklappe: »Die Lage an der Ostfront ist aussichtslos. Jemand muss das dem Führer mitteilen!«

Nervöser General: »Der Führer hat seine eigenen Methoden.«

Oberst Augenklappe: »Es ist schon so viel junges Leben verschwendet, so viel Blut vergossen worden! Und wofür?«

General (mit einem ironischen Zwinkern, das auf gewisse Sympathien hindeutet): »Für den Endsieg.«

Augenklappe: »Pah! Der Sieg für ein Heer von Toten.«

General: »Soldaten haben die Pflicht, für das Vaterland zu kämpfen, Herr Oberst.«

Augenklappe: »Aber sie sind auch Menschen, sie haben ein Gewissen.«

Üblicherweise folgt an dieser Stelle eine kurze Gesprächspause, die es den Oberstufenschülern ermöglichen soll, ihre Popcorntüte abzusetzen und sich diesen Satz zu notieren.

Wenn die Schüler dabei überhaupt irgendwas lernen – statt einfach wegzudösen –, dann dies: Zu den größten Schrecken des Krieges gehört seine Auswirkung auf die Dialoge im Kino.

The Queen goes East

Von Anfang an, seit ich vor vielen Jahren nach Deutschland kam, war es mir ein Rätsel: dieses gewaltige Interesse, das man hier der Queen entgegenbringt. Wie ist es möglich, dass diese Frau mit ihrer völlig gestörten Familie aus Ehebrechern, Geheimniskrämern und Langweilern die Deutschen derartig fasziniert? Die Klatschpresse hat jede Woche etwas Neues von den Windsors zu berichten, das man aus »gutinformierten Kreisen bei Hofe« erfahren haben will. Dass ich nicht lache!

Klar ist die Queen stinkreich, aber mal ehrlich: Im Grunde ist sie doch stinklangweilig und schon daher keine Kandidatin für die Boulevardblätter – erst recht keine Dauerkandidatin. Sie trägt Schuhe und Kleider wie aus dem Otto-Katalog, und ihre Hüte sehen aus wie doppelte Cheeseburger.

Vor ein paar Wochen dann erzählte mir irgendeine Hofschranze, die Queen habe schon immer mal nach Neustrelitz reisen wollen. Seit ihre Großmutter Maria von Teck die Heimatstadt 1912 besucht habe, sei wegen der Kriege und des Kommunismus kein Mitglied der Königlichen Familie mehr dort gewesen. Die Queen hat schon mit Kannibalen gespeist und Eskimos die Hand geschüttelt – aber in Neustrelitz war sie noch nie gewesen.

Neustrelitz, muss man dazu wissen, nennt sich zwar »Residenzstadt«, ist aber letztlich nicht viel mehr als ein gebeuteltes mecklenburgisches Provinznest, das den sowjetischen Soldaten vierzig Jahre lang als Garnisonsstadt diente. Gesellschaftlicher Höhepunkt war dort jedes Mal der Tanzabend der Gesellschaft für Deutsch-Sowjetische Freundschaft, auf dem kleinwüchsige kasachische Rotarmisten den FDJ-Mädels an die Brüste zu fassen versuchten. Und ausgerechnet dort wollte plötzlich die Queen vorbeischauen?

Mit einem Mal fiel es mir wie Schuppen von den Augen: Die Queen ist ein Ossi. Gut, ein bisschen hannoversches Blut mag auch dabei sein, aber auch hier darf man nicht vergessen, dass sich die meisten Ländereien von (Pinkel-) Prinz Ernst August im ehemaligen Zonenrandgebiet befinden. Viel entscheidender sind freilich die ererbte Nase der

Markgrafen von Brandenburg-Ansbach, das strenge Kinn des Hauses Sachsen-Coburg-Gotha und die Reiterschenkel der Mecklenburg-Strelitzer. Die Queen hat Ossi-DNA, und die Geschichte ihrer Gene ist über lauter Städte verstreut, die sich inzwischen nur noch durch Erlebnisbäder und neuerrichtete Hochglanzbahnhöfe an ICE-Strecken auszeichnen, wo kein Mensch freiwillig aus- oder umsteigt. Kein Wunder, dass die Deutschen die Queen lieben. Man braucht ihnen gar nicht erst zu erklären, dass sie zu 53 Prozent Ossi ist – da reicht ein Blick auf ihre Garderobe.

Die Queen ist also ein gefundenes Fressen für die *Superillu*: ein Erfolgsossi. Und wohin sich die *Superillu* aufmacht, dahin folgt ihr der gesamte Rest der deutschen Presse.

Die ersten Nachforschungen laufen bereits: Womöglich hatten die Windsors ja sogar noch eine Greifswalder Linie.

Die deutschen Tugenden

Die Deutschen sind mächtig stolz auf ihre sogenannten *Sekundärtugenden*. Die Briten halten sich da lieber weiter an die sieben Todsünden: Bei Sünden weiß man wenigstens, was man hat. Tugenden dagegen, ob nun sekundär oder primär, halten nur selten prüfenden Blicken stand. Auch mit den deutschen ist es in Wahrheit nicht so weit her.

Ordnung:
Sollten Sie sich irgendwann einmal raus aus Berlin und hinein nach Rumpfpreußen wagen – sprich: in die ehemaligen Kolchose-Dörfer von Brandenburg –, dann werden Sie dort Wäscheleinen voller Unterhosen erblicken. An einer Leine hängen sieben Boxershorts mit Blumenmuster, an der anderen sieben rosafarbene Stringtangas. So weit, so gut. Das Eigenartige ist nur, dass Ihnen ein solcher Anblick am Montagmorgen überall, von Prignitz bis nach Schwedt, begegnen wird. Und Sie können sich ausmalen, wie es weitergeht: Die Unterhosen werden gebügelt und dann in eine mit Schrankpapier ausgekleidete, nach Lavendel duftende Schublade gelegt. Brandenburg mag viele Probleme mit Neonazis und so was haben, aber immerhin riechen die Männer dort gut, zumindest von der Gürtellinie abwärts.

Trotzdem springt der *German lover* natürlich nicht einfach so ins Bett. Leidenschaft hin oder her, er muss zuerst seine Armbanduhr abnehmen, die Hose falten und das Handy auf stumm schalten. Steht halt manchmal doch ein bisschen der Spontaneität im Wege, die Ordnungsliebe.

Sauberkeit:
Briten geben sich gern der Illusion hin, die Deutschen seien Reinlichkeitsfanatiker. Doch schon als ich damals nach Bonn zog, kamen mir erste Zweifel. Mir wurde als Erstes eine Hausordnung vorgelegt, die deutlich länger war als meine Abschlussarbeit an der Uni, und ein Hauptverbot betraf das Baden nach 22 Uhr: Die Wände waren zu dünn, die Rohre machten zu viel Lärm. Jeden Freitag um 21 Uhr 40 – man konnte die Uhr danach stellen – ertönte daraufhin ein donnernder Lärm, der vage an die Niagarafälle erinnerte, weil sich sämtliche Beamten im ganzen Viertel ein Bad einließen. In Deutschland war es also bereits an der Tagesordnung, nur einmal in der Woche zu baden, bevor es wegen der drohenden Klimakatastrophe ethisch legitim wurde, sich nicht mehr zu waschen. Entgegen anderslautenden Vorurteilen haben die Deutschen sich längst mit ein bisschen Dreck in ihrer Umgebung arrangiert. Selbstverständlich, ohne dafür ihre überwältigende philosophische Sehnsucht nach Reinheit aufzugeben, die das ganze Leben färbt. Alles muss rein sein, vom deutschen Bier bis zum deutschen Gewissen. Und was passiert, wenn man die Freundin abservieren will? Dann macht man reinen Tisch.

Pünktlichkeit:
In puncto zeitlicher Präzision längst von den Japa-

nern überholt, haben sich die Deutschen auf eine Art Langzeit-Pünktlichkeit verlegt. Wenn man in Deutschland ein Bett kauft, darf man mindestens sechs Wochen auf die Zustellung warten – es sei denn, es handelt sich um so ein flach verpacktes schwedisches Folterbrett.

»Es wird am 23. Mai ab Lager geliefert … oder nein, am 24., der Donnerstag ist ja ein Feiertag«, erklärt der Verkäufer, während er seinen digitalen Kalender nach weit entfernten Terminen durchblättert. »Dann müssen wir noch einen Lieferwagen organisieren. Sind Sie am 7. Juni zu Hause?« Man nimmt sich also den betreffenden Tag frei und wartet genauso gespannt darauf, dass das Bett geliefert wird, als wäre man ganz oben auf die Warteliste für einen Wartburg gerutscht. Wenn der Lieferwagenfahrer nicht gerade einen Schnupfen hat, kommt das Bett in der Regel auch zum vereinbarten Zeitpunkt: Pünktlich! Aber warum hat es davor so lange gedauert?

Sparsamkeit:
Die Engländer haben nie ganz begriffen, warum das Schwein, das in anderen Kulturen als schmutzig und unberührbar gilt, in Deutschland geradezu kultisch verehrt wird. Wie ist es möglich, dass das Symbol für jegliche Art von Glück (»Schwein gehabt!«) gleichzeitig auch das Gefäß ist, in dem man sein Erspartes aufbewahrt? Sparen bringt kein Glück, sondern Sicherheit (»Spare in der Zeit, so hast du in der Not!«). Sich zu kaufen, was man will, macht zwar glücklich, aber vorher muss man erst das Sparschwein schlachten. Kein Wunder, dass unter deutschen Schulkindern Verwirrung herrscht. Sollen wir unsere Schweine

jetzt schlachten oder füttern? Sollen wir unser Geld ausgeben (wozu die Regierung uns nachdrücklich drängt) oder es für die Zukunft sparen (wozu dieselbe Regierung uns ebenso nachdrücklich drängt)? Sparsamkeit ist keine Tugend, sondern eine Maßnahme zur Gefahrenvermeidung.

Tüchtigkeit:
Vgl. »Der faule Deutsche«, S. 128

Gründlichkeit:
Natürlich sind wir alle große Freunde von gründlicher Arbeit. Schließlich möchte niemand über eine Brücke gehen, die nicht gründlich konstruiert, gebaut und geprüft wurde. Die typisch deutsche Tugend besteht hauptsächlich darin, die Gründlichkeit so ziemlich allem angedeihen zu lassen, ohne einen Gedanken an die Verhältnismäßigkeit zu verschwenden. Das sieht man schon daran, wie der ADAC die Toiletten von Autobahnraststätten testet.

Erster Tester: »Spült die Toilette?«

Zweiter Tester: »Ja. Mittelstarker Wasserschwall.«

Der erste Tester macht ein Häkchen in das dafür vorgesehene Kästchen.

Natürlich geht Deutschland heute etwas entspannter mit seinen Tugenden um. Ist das Bad einmal nicht geschrubbt, geht die WG-Welt nicht gleich unter. Auch das Vernachlässigen der Kehrwoche zieht keine Fehde sizilianischen Ausmaßes nach sich. Allerdings schätzen die Deutschen es noch immer nicht, wenn ihre Prominenten aus der Art schlagen. Oder können Sie sich einen tiefsinnig-geistreichen Michael Schumacher vorstellen? Eine Steffi Graf ohne rasierte Achselhöhlen? Eben. Selbst wenn die Deutschen nicht mehr jeden Sonntag pflichtschuldigst ihre Autos waschen – ihre Idole sollen gefälligst nicht nur sauber, sondern rein sein.

Der Müllmann: ein Cowboy in Orange

Als die Riesenratten anfingen, Bielefeld zu terrorisieren, setzte in den Kommentarspalten der Zeitungen ein großes Heulen und Wehklagen ein (und auch ein wenig sabbernde Vorfreude). Waren diese großen fetten Exemplare des *Rattus norvegicus* doch das untrügliche Zeichen dafür, dass sich die Welt am Rande eines Abgrunds befand. Denn welche Geschöpfe würden als Einzige einen Atomkrieg überleben? Richtig: Ratten und Kakerlaken. Nun rüsteten sich die Ratten für die große Klimakatastrophe.

Die Wahrheit war natürlich etwas prosaischer. Die Ratten waren das Ergebnis der Angst der deutschen Hausfrau vor dem Müllmann. In Bielefeld und vielen anderen Kommunen sind die Mülltransporter jetzt mit einer Waage ausgestattet. Wenn die Säcke zu schwer sind, werden sie dem jeweiligen Haushalt wieder vor die Tür gestellt. Im Sommer gibt es wohl keine drakonischere Strafe als Säcke voll mit Essensresten – angekautes Fleisch, verfaulte Eier –, die vierzehn Tage lang im Garten vor sich hin gammeln und sich zu einer übelriechenden explosiven Mischung zusammenbrauen. Weshalb die brave Hausfrau, eingeschüchtert von der Abfall-Polizei, die Überreste des Abendessens die Toilette hinunterspült. Wodurch diese in die Kanalisation gelangen und sich in eine Art Fast Food für die deutsche Ratte verwandeln, die mit jedem Jahr größer und wohlgenährter wird.

Fakt ist, dass der Müllmann zum sozialen Gebieter über Vorstadt-Deutschland geworden ist. War es früher der Pfarrer, der das letzte Wort und die wahre Macht in der Gemeinde hatte, ist es heute der Müllmann. Wer sonst könnte der – weltweit an Sinnlosigkeit nicht zu überbietenden – Mülltrennungsobsession Geltung verschaffen, wenn nicht er? Und so gehört es nun zu den Alpträumen des Großstädters, allabendlich seinen Joghurtbecher auszuwaschen, damit sich der Müllmann ja nicht beschwert. Manche Soziologen argumentieren, dass der schwarz-braun-grün-gelben Tonnenlogik eine deutsche Besessenheit des Themas Selektion zugrunde liegt. Mit einer rationalen Recycling-Politik hat das jedenfalls nichts zu tun.

Ich habe einmal recherchiert, welchen Weg das Papier nimmt, das ich Tag für Tag fleißig in die blaue Tonne werfe. Wie ich herausfand, wurde es komprimiert und zu Parkbänken verarbeitet. Gut, dachte ich. Gar keine so schlechte Verwendung für all die Stapel abgelegter *Bild*-Zeitungen. Doch wo waren sie, die Parkbänke, die zu produzieren ich mitgeholfen hatte? Gerne hätte ich mir einen armen Rentner vorgestellt, der auf diesem Produkt seine wohlverdiente Rast einlegt, vielleicht die Tauben füttert oder das Wetter beklagt. Es wäre der lebende Beweis dafür, dass das deutsche Wiederverwertungswesen, um das Deutschland von ganz Europa beneidet wird, tatsächlich funktioniert.

»Das lässt sich nicht so auf die Schnelle herausfinden«, meinte eine bekümmerte Führungskraft der Firma Der Grüne Punkt – Duales System Deutschland GmbH.

Also bat ich um Rückruf, sobald das geklärt war.

Auf den wartete ich dann eine Woche.

»Wir exportieren die Bänke nach Russland«, verkündete derselbe Mensch stolz. »Für deutsche Parkbänke gelten nämlich strengere Sicherheitsvorschriften.«

Nach Russland!

»Wohin denn genau?«

Der Grüne-Punkt-Mensch seufzte tief auf.

Eine weitere Woche verging.

»Nach Irkutsk«, berichtete er dann. »Das ist in Sibirien.«

Mein Müll in Sibirien? Mir schwoll das Herz vor Stolz.

Ich brauchte zwei weitere Wochen, um einen russischen Diplomaten dazu zu bewegen, sich ans Telefon zu hängen und herauszufinden, wie es den Bänken in Sibirien so erging.

»Miister Boyes«, verkündete mir schließlich Alexei, »bei uns ist ständig Winter, da sitzt kein Mensch im Park, nur ein paar Verrückte.«

»Dann brauchen Sie die Parkbänke also eigentlich gar nicht?«

Ein ausgedehntes slawisches Schnaufen am anderen Ende der Leitung.

»Nein, Miister Boyes, aber wir müssen sie annehmen als Ausdruck von gutes deutsch-russisches Verhältnis.«

Dazu fiel mir nichts mehr ein. Außer: »Nastrowje.«

Geht nicht, gibt's nicht

Echte deutsche Männer gehen zum Baumarkt. Nicht zu IKEA mit seinen albernen Artikelnamen, wo man Betten nach norwegischen Dörfern, Stühle nach finnischen Eisschollen und Lampen nach längst gesunkenen Wikinger-Langschiffen benennt. Und wo es mehr Svens und Astrids gibt als in einem Buch von Henning Mankell. Der Baumarkt als solcher hingegen ist urdeutsch. An Samstagen kann man dort stundenlang umherspazieren und darüber meditieren, ob man jetzt die Schraube mit Flachkopf oder doch lieber die mit Linsenkopf kaufen soll. Es ist einer der wenigen Orte in Deutschland, wo man Muttern kaufen kann. Und wo es weder schreiende Kinder gibt noch schwitzende junge Väter, die mit Elsker-dej-Blumentöpfen beladene Einkaufswagen durch die Gegend schieben.

Obi, Praktiker und Co. sind sozusagen die Ritterburgen des deutschen Mannes. Die Gespräche dort verlaufen in etwa so:

»Ich suche eine richtig gute Holz- und Spanplattenschraube.«

»Mit Kreuzschlitz- oder Torx-Aufnahme?«

Worauf sich eine Diskussion entspinnt wie bei zwei Ägyptologie-Professoren, die sich über eine neuentdeckte Hieroglyphe unterhalten.

»Bei Hohlmauerwerk wird die Dübelspitze der Allzweckdübel in Richtung Dübelhals gezogen.«

»Klar.«
»Also achten Sie auf die richtige Schraubenlänge.«
»Klar.«

Nichts Halbgares also, sondern Männersache. Deutsche Männersache. Die Engländer sind ebenfalls vom Do-it-yourself besessen. Kinder singen gern den nervtötenden Spruch aus der Fernsehwerbung: »You can do it, if you B and Q it.« *B and Q* ist eine britische Baumarktkette, hat aber eine ganz andere Atmosphäre. Bei den englischen Kunden handelt es sich nämlich um die Crème de la Crème der Bourgeoisie – stellvertretende Schulleiter, Hausärzte, protestantische Vikare –, die ihre Immobilien vergrößern, ein Gewächshaus errichten oder das Dachgeschoss ausbauen wollen. Und zwar nicht aus Liebe zum Handwerk wie beim *Homo bauhausiensis*, sondern weil die Wertsteigerung des Eigenheims der einzige sichere Weg zur Vermehrung des Wohlstands und zu einem finanziell abgesicherten Ruhestand ist. Während ein Besuch beim Baumarkt in Deutschland fast einem mönchischen Ritus gleichkommt, gehören B&Q-Besuche in England zum Themenkanon bei schicken Essenseinladungen.

»Charles war gestern bei B&Q«, sagt dann beispielsweise die Gastgeberin. »Er will uns einen Wintergarten bauen.«

Worauf Charles stolz erwidert: »Ja, das sollte den Wert des Hauses noch mal um 50 000 Pfund steigern.«

»Ganz schön clever von dir«, schaltet sich Besucherin Nummer eins ein. »Bill baut ja gerade einen Kamin in unser Gästezimmer ein.«

»Wir haben vor, es zu einer Bibliothek umzubauen.

Weiß jemand, wo man günstig ein paar Kisten Bücher herkriegt, die sich gut im Regal machen?«

Es dauert keine zwei Wochen, und Charles (im richtigen Leben Buchhalter) ist von der Leiter gefallen, während Bill (ein Historiker) sich ein Loch in den Finger gebohrt hat.

Der deutsche Baumarktmann duldet keinen derartigen Dilettantismus. Andächtig breitet er in der Garage auf einem sauberen Tuch sein Werkzeug aus und poliert es. Dann schaut er sich im Haus nach Arbeit um, mit der er das Werkzeug beschäftigen könnte. Da er zur Miete wohnt und sein Vermieter ihn nach deutschem Recht höchstens mit den Füßen voraus aus dem Haus bekommen wird, trägt er keinerlei Eigentümerverantwortung und entwickelt auch keinen Sinn für finanziellen Zugewinn. Theoretisch könnte er sich damit begnügen, auf dem Sofa zu sitzen und Fußball zu gucken. Heimwerken ist also ein purer Selbstzweck, der von keinerlei Profitstreben motiviert ist. Seine Hände und Werkzeuge auf diese Weise zu benutzen – das hat etwas Reines, Unschuldiges an sich. Dem wahren Baumarktmann geht es ähnlich wie Hans Sachs in den *Meistersingern*: Mit einem Bohrer in der Hand kann er am besten über das Leben nachdenken. Zumal er dann nicht mit seiner Frau reden muss.

Als ich nach Berlin zog, beschloss ich, die Markise über meiner Terrasse zu reparieren, bevor der Monsunregen einsetzte. Ich schilderte einem Bauhaus-Mitarbeiter meine Bedürfnisse.

»Ah«, sagte der wie aus der Pistole geschossen, »da brauchen Sie zunächst einmal einen Engländer.«

»Eigentlich ...«, hob ich an – und brach ab. Der Angestellte hatte ihn nämlich schon angeschleppt, den

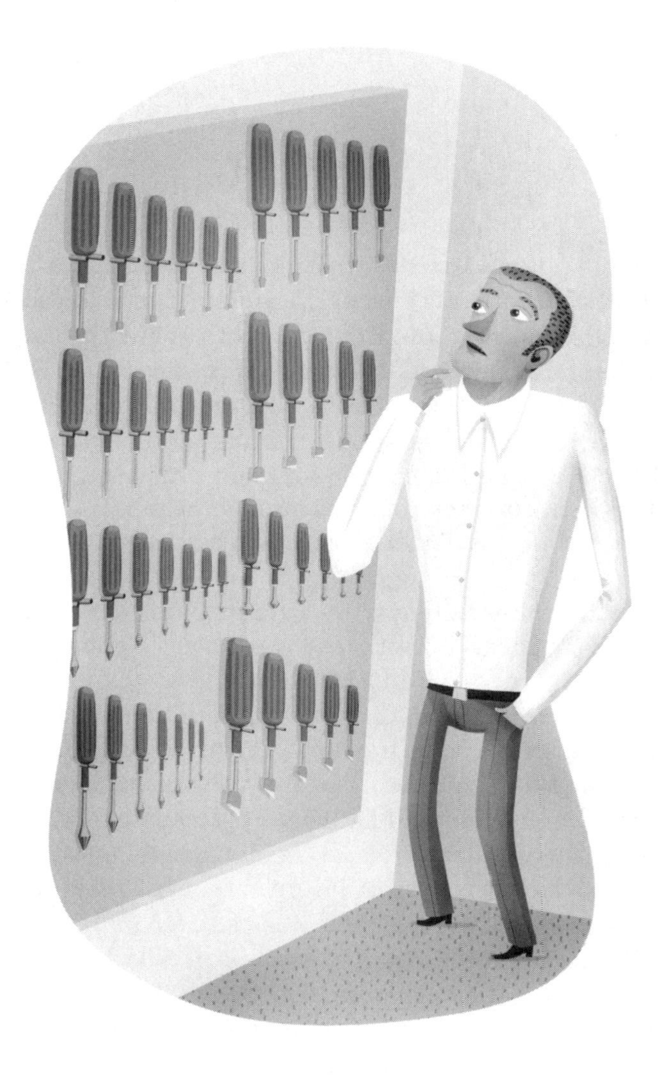

Engländer – einen Schraubenschlüssel. Und zwar einen richtig guten.

Zum Schnäppchenpreis von 8 Euro 50.

Aufgeklärt flirten

George Mikes löste 1946 in England einen Sturm der Entrüstung aus, als er schrieb, andere Europäer hätten Sex, während die Engländer mit Wärmflaschen vorliebnähmen. Die Botschaft war eindeutig: Sex diente nicht der Spannungserzeugung oder der Anregung des Kreislaufs, sondern einzig und allein dem Zweck, warme Füße zu bekommen. Dafür eigneten sich Wärmflaschen nun mal einfach besser. Und das Vorspiel bestand vielleicht noch in einer schönen Tasse Tee.

Nun, seither haben wir Engländer uns ein wenig weiterentwickelt. Trotzdem war es ein Schock für mich, als ich, gerade in Deutschland angekommen, zum ersten Mal in der *Bravo* blätterte. Die Zeitschrift richtete sich ganz offensichtlich an Zwölfjährige, aber die Ratgeberseite – verfasst von einem gewissen »Dr. Sommer«, der mit Dr. Theo Sommer von der *Zeit* vermutlich weder verwandt noch verschwägert ist – hätte sich ebenso gut für die erwachsenen Leserinnen der *Cosmopolitan* geeignet: *Wie kann ich den Orgasmus meines Freundes hinauszögern? Wie kann ich mein Lustempfinden steigern? Sollte man vor dem Sex Alkohol trinken? Den Lehrer küssen – ja oder nein?* Ein Kamasutra für Kinder!

Offensichtlich kann man seine Unschuld nirgendwo besser verlieren als in Deutschland. In England spielen Zwölfjährige noch mit Barbiepuppen. Die deutschen *Bravo*-Absolventen wissen hingegen schon mit fünfzehn mehr über Sex als der durchschnittliche Engländer mit Mitte fünfzig. Kein Wunder also, dass deutsche Frauen in ihren Beziehungen so oft die Hosen anhaben: Sie wissen eben einfach, wo's langgeht.

Deutsche Jungs – die späteren Männer – sehen Sex als eine Art Extremsport. Ein Mädchen kennenzulernen ist für sie vergleichbar mit dem Erklimmen einer steilen Felswand: Man muss die richtigen Griffe draufhaben. Bei dieser Weltsicht ist es eigentlich nicht weiter wichtig, ob man auch die richtigen Bergspitze besteigt. Solange man nur oben ankommt, tut's jede.

Im Grunde haben es also weder deutsche Mädchen noch deutsche Jungs nötig, das Flirten zu lernen. Die Mädchen erlernen ihr Handwerk wie die Klempnerlehrlinge bei Doktor Sommer, die Jungs halten sich fit, allzeit bereit, den Gipfel zu erobern. Alles, was man sonst noch braucht, ist ein kurzer Austausch der wichtigsten persönlichen Fakten – und viel mehr passiert im jugendlichen Balzspiel auch tatsächlich nicht:

»Was hörst'n da?« Das Mädchen zieht sich die iPod-Kopfhörer aus den Ohren.

»US5.« Sie mustert den Jungen kurz. Falls ihre Hormone ihr jetzt sagen, dass er genetisch inkompatibel ist, setzt sie die Kopfhörer wieder auf. Regt sich ansatzweise Interesse, lässt sie sie unten.

»Du stehst auf Boygroups, was? Meine Schwester auch.«

»Du hast eine Schwester?« Jungs mit Schwestern sind viel interessanter, weil sie schon von zu Hause aus Druck kriegen, sich auch unter den Armen zu waschen.

Das Gespräch plätschert weiter dahin, bis die S-Bahn da ist. Kommt es dann zu einer zweiten und einer dritten Begegnung, fasst der Junge sich vielleicht irgendwann ein Herz und fragt:

»Wollen wir bei mir noch 'n bisschen chillen?«

Anschließend übernimmt das Mädchen die Kontrolle über die sexuelle Beziehung, und der Junge bildet sich ein, er hätte das Sagen.

Der britische Nachwuchs geht da ganz anders zur Sache, muss er doch gegen die erlernte Schüchternheit, seine körperliche Unzulänglichkeit und die gesellschaftlichen Hemmungen ankämpfen. Das führt allerdings nicht zur Verfeinerung seiner Anbandelungstechnik. Im Gegenteil: Englands männliche Teenager haben sich kaum über die Kindergartenphase hinausentwickelt, als sie die vierjährigen Mädchen, die ihnen gefielen, einfach an den Haaren gezogen haben.

In der Schlange vor der Sicherheitskontrolle am Flughafen London-Stansted konnte ich kürzlich ein typisches Beispiel für einen solchen Britflirt belauschen. Zwei britische Jugendliche aus der *working class* auf dem Weg nach Ibiza:

»Willst du 'nen spanischen Kellner flachlegen?«, fragte der Junge und deutete auf den Minirock des Mädchens.

»Der Einzige, der hier gleich flachliegt, bist du.«

»Na, wenigstens muss ich mich nicht so beschissen anziehen, damit mich jemand beachtet.«

»Stimmt, du solltest dir lieber 'nen Sack über den Kopf ziehen, Pickelgesicht!«

»Schlampe.«

»Schlappschwanz.«

Inzwischen waren die beiden vor der Sicherheitsschranke angekommen.

»Wo steigst du ab?«, fragte der Junge.

»Im *Neptun*«, gab das Mädchen bereitwillig Auskunft.

»Dann bis dann.«

»Genau.«

Nicht gerade ein Dialog von Austen'schem Format. Doch trotz des unterschiedlichen Balzverhaltens sind sich die späteren britischen und deutschen Männer zumindest in einem Punkte einig: dass die italienische Form der Frauenverehrung – die vor allem darin besteht, die betreffende Frau einfach wahrzunehmen – doch ziemlich unehrlich und aufgesetzt wirkt.

Waldmeister und Gartengeneräle

Die Deutschen, heißt es, seien Waldmenschen, die Engländer Seeleute. Die Krauts suchen demzufolge nach Geborgenheit, während die Angelsachsen sich den Abenteuern und Gefahren des offenen Meeres stellen.

Diese Erklärung stimmt nur zur Hälfte. Ja, die Deutschen haben durchaus ihre Wälder, aber die Engländer sind weder Piraten oder Entdecker noch die wahren Erben von Francis Drake und Admiral Nelson. Wir sind Gärtner. Und es ist dieser kleine Unterschied zwischen Wald und Rasen, der uns offenbart, wie nahe unsere Stämme in Wahrheit miteinander verwandt sind. Beide haben wir es mit der Ordnung – das ist beileibe keine rein deutsche Obsession. Der englische Rasen – vom hochherrschaftlichen Sisselhurst Park bis zum handtuchgroßen Vorortgarten – wird generalstabsmäßig geplant. Der Brite bestellt die Zwiebeln aus dem Katalog und nimmt sich extra einen Tag frei, um sie auch genau zum richtigen Zeitpunkt setzen zu können. Die Beziehung zwischen einem Engländer und seinem Garten ähnelt der eines Paares, das verzweifelt ein Kind zu zeugen versucht. Plötzliche Anfälle von Dringlichkeit (»Komm schnell nach Hause«, ruft die Ehefrau dann ins Telefon, »die Osterglocken blühen!«) wechseln sich ab mit sorgfältig geplanten Bewässerungs- und Beetverschönerungsmaßnahmen. Selbstangebaute Tomaten sind zu einem Statussymbol geworden, einer Erweiterung der Persönlichkeit.

Im deutschen Wald taucht die Persönlichkeit ab, verliert sich zwischen den Bäumen. Der Wald ist die Essenz deutscher Romantik:

»Wer hat dich, du schöner Wald
Aufgebaut so hoch da droben?
Wohl den Meister will ich loben …«

So formulierte es Eichendorff, und sein »Meister« war natürlich ein sehr deutscher Gott. Der Deutsche geht in den Wald, um sich klein und demütig zu fühlen, der Engländer hingegen hasst den Wald (Robin Hood gilt mittlerweile eher als durchgeknallter Bolschewik denn als Held) und zieht es vor, in seinem eigenen Garten Gott zu spielen – selbst wenn dieser kaum größer ist als sein iPod. Deutsche Gärten sind dagegen weniger ein Ort mystischen Erlebens als ein Exerzierplatz für in Polen gefertigte Kunststoffzwerge.

Der deutsche Wald hat seine eigene geheime Ordnung. Ihn zu betreten ist wie an einem Persönlichkeitstest der Scientologen teilzunehmen: ein Kult mit Förster und Jäger als Hohepriester. Es gibt kaum ein rätselhafteres Werk der Initiation als die Jägerprüfung. In einem deutschen Wald ist nichts so wie im übrigen urbanen Deutschland, dem Deutschland von C&A, Ökofleischer und Lottoladen. Ein Wildschwein ist nicht einfach nur ein Wildschwein: Es ist entweder eine *Bache* (wenn es weiblich ist) oder ein *Keiler* (wenn es männlich ist), ein *Basse* (ein Keiler kurz vor der Pensionierung, auch *Hauptschwein* genannt) oder ein *angehendes Schwein* (sozusagen ein Teenie-Keiler). Es hat keine Ohren, sondern Teller. Es hat kein Maul, sondern ein Gebrech. Und – englische Mädels, aufgemerkt, falls ihr euch in einen adeligen Jäger verliebt – Der Penis eines Keilers ist auch als Brunftrute bekannt, die Schambehaarung als Pinsel. Seid also nicht überrascht, wenn der junge Graf von

Pudelfilz keine künstlerischen Nachhilfestunden im Sinn hat, wenn er euch ins Atelier bittet, damit ihr einen Blick auf seinen Pinsel werft.

Alles in allem sollte jeder, der einen deutschen Wald betreten will, vorab einen Volkshochschulkurs besuchen. Um am Waldkult teilzunehmen, muss man sein Gedächtnis auf beinahe enzyklopädische Höchstleistungen trimmen. Wenn die Deutschen nur die Hälfte der Geistesgaben, die sie derzeit für den Erwerb des Jagdscheins benötigen, anderweitig zur Verfügung hätten, würden sie bestimmt bald wieder Nobelpreisträger hervorbringen.

Der faule Deutsche

Deutschland, die Heimat des Soziologen Max Weber, hat dessen protestantische Arbeitsethik längst in aller Stille zu Grabe getragen. Ersetzt wurde sie durch die katholische Ethik des Faulenzens, die hauptsächlich darin besteht, keinen noch so unbedeutenden kirchlichen Feiertag auszulassen, vor allem nicht im Rheinland und in Bayern. Heute hat die Schwägerin des Evangelisten Matthäus Geburtstag? Nehmt euch frei, und wenn's ein Donnerstag ist, nehmt gleich noch den Brückentag dazu. Wie, der heilige Clemens hat an einem Montag zum ersten Mal Himmel und Hölle gespielt? Na, dann sperren wir doch gleich die Fabrik zu! In Anerkennung der Tatsache, dass auch Nicht-Katholiken ein Recht aufs Faulenzen haben, hatte Peter Hartz bei Volkswagen sogar die Viertagewoche eingeführt, was ihm praktischerweise Zeit genug ließ, um mit seinen Kumpels aus dem Betriebsrat in das »Sex-World« nach Hannover zu fahren. Und recht hatte er, der gute Peter – zwar nicht unbedingt mit seiner Vorliebe für brasilianische Hostessen, aber mit der grundsätzlichen Erkenntnis, dass man so ziemlich jede menschliche Arbeitstätigkeit auch in vier Tage quetschen kann.

Das Klischeebild von Deutschland als dem Land der fleißigen Bienchen wurde schon längst vom Klischeebild des Deutschen als dem Mexikaner Nordeuropas verdrängt, der, den Sombrero im Gesicht, in der

Mittagssonne ein Nickerchen macht. Kurz gesagt: Es gibt mal wieder einen neuen Grund für die Briten, neidisch zu sein. Die Deutschen haben einen Weg gefunden, weniger zu arbeiten und trotzdem mehr zu produzieren. Das ist einfach unfair.

»Die blöde Zulassungsbehörde hatte zu – um drei Uhr nachmittags!«, ereiferte sich Harry, mein Koermittler in Sachen Deutschland. »Wann arbeiten diese Leute eigentlich?«

»Es ist Mittwoch«, rief ich ihm sanft in Erinnerung.

Am nächsten Tag ging Harry noch einmal hin, zog sich eine Nummer aus dem Nummernautomaten und tat dann, worum ich ihn per SMS gebeten hatte: Er fragte die Leute, die mit ihm warteten, wo sie denn eigentlich gerade sein sollten, wenn sie sich nicht hier die Beine in den Bauch stehen müssten.

»In der Kita, mein Kind abholen«, antwortete eine Mutter.

Doch die häufigste Antwort lautete: »Im Büro.«

»Und was haben Sie Ihrem Vorgesetzten gesagt, wo Sie hingehen?«

»Ich habe einfach behauptet, ich gehe auf eine Fortbildung.«

Ebenso häufige Antwort: »Ich bin in einem Meeting.«

Diese letzte Ausrede ist besonders perfide, ist das *Meeting* doch längst zur neudeutschen Standardausrede sämtlicher Vorzimmerdamen geworden. Der Begriff ist so was von dehnbar, dass er sich auf praktisch alles anwenden lässt, von der echten Besprechung über das ernsthafte Gespräch mit einem Kollegen bis hin zur zufälligen Begegnung auf der Bürotoilette. Es ist geflunkert, ohne richtig gelogen zu sein, und dient grundsätzlich der Verschleierung der Tatsache, dass da jemand Arbeitszeit verschwendet. Da wirkt ja sogar die klassische Telefon-Ausrede – »Der Kollege ist gerade zu Tisch« –, die jederzeit zwischen 11 und 16 Uhr Anwendung finden kann, noch glaubwürdiger. Zumindest tut dabei niemand so, als würde gearbeitet.

Nicht, dass die Briten gegen Arbeitsvermeidungsstrategien immun wären. In »My dear Krauts« habe ich ja bereits von der Methode »Italienisches Jackett« berichtet – das Zweitsakko über der Stuhllehne, dass (be)trügerischerweise signalisiert, der Besitzer befinde sich irgendwo arbeitend im Haus. Aber solche britischen Täuschungsmanöver sind natürlich vollkommen akzeptabel, wird unser Leben doch so sehr von der Arbeit bestimmt, dass man geradezu moralisch verpflichtet ist, seinen Arbeitgeber um ein bisschen Arbeitszeit zu betrügen: Man ist ein Partisanenkämpfer in einem Land unter feindlicher Besatzung. Der Londoner Lebensrhythmus – eine Stunde pendeln, zehn Stunden im Büro, eine halbe Stunde im Pub mit den Kollegen, dann wieder eine Stunde pendeln – schafft die Freizeit komplett ab. Romanzen entwickeln sich nur noch im Büro, die Firmen richten Fitness-Studios ein und sponsern Marathonläufe. Ziel des Ganzen ist, dass der Chef den ganzen Tag genau weiß, wo man ist. Und was die Ferien angeht: Manche Amerikaner brüsten sich damit, dass sie noch nie ihre ganzen 21 Urlaubstage ausgenutzt haben. So weit ist es mit den Briten noch nicht gekommen: Sie wissen, dass sie um ihr Leben gebracht werden, und die meisten finden das nicht besonders toll.

Für diese Lohnsklaven sind die Deutschen zu leuchtenden Vorbildern für die Zukunft geworden. Der faule Deutsche und die institutionalisierte Faulheit in den Behörden mögen ausländische Gäste anfangs zwar in den Wahnsinn treiben, aber nach einiger Zeit stellen sie fest: Hey, eigentlich haben sie ja recht, die *Krauts*. Eine klare Trennung von Arbeit und Freizeit unterstützt das natürliche Gleichgewicht in der Gesellschaft. Die Deutschen nehmen beispielsweise ihre Freundschaften sehr ernst (gut, zugegeben, sie nehmen alles sehr ernst). Freundschaften werden gepflegt und sind mit Vorstellungen von Solidarität und Loyalität verbunden, die in der angloamerikanischen Arbeitswelt schon längst zu etwas sonderbaren, altmodischen Tugenden verkommen sind.

Daher: Schlaf ruhig weiter, Deutschland! Es lebe die Faulheit!

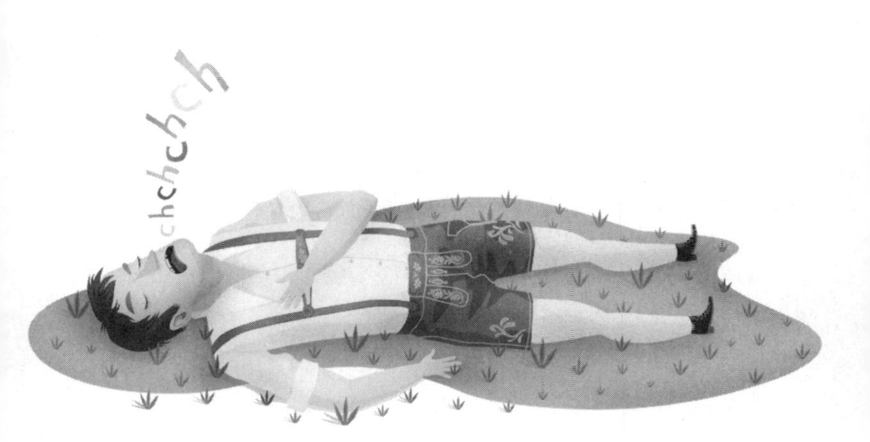

Wie man Ferien macht

Deutschland ist Reiseweltmeister: Zwei Drittel aller Deutschen verbringen ihren Urlaub im Ausland. Aber Großbritannien holt stetig auf. Und wie sich herausstellt, haben wir alle ganz ähnliche Erwartungen: Wir sind auf der Suche nach einem Ferienziel, an dem alles genau so ist wie zu Hause. Deshalb darf das Hotel in Sri Lanka auch nicht anders aussehen als das Hotel auf Ibiza, das wiederum so aussieht wie der Plattenbau, den wir gerade hinter uns gelassen haben.

Einen grundlegenden Unterschied gibt es allerdings zwischen deutschen und englischen Urlaubsreisenden, und der liegt in der Planung. Ein deutscher Urlaub ist in etwa so wie die Schachlehrbücher von Bobby Fischer: ein Meisterstück an Berechnung, gewürzt mit einer kleinen Prise Wahnsinn.

Eröffnung

Im Oktober kommen die neuen Reiseprospekte, und die deutsche Sorgfalt gebietet, sie mit allen interpretatorischen Fähigkeiten, die einem zur Verfügung stehen, unter die Lupe zu nehmen.

Verkehrsgünstig gelegen? Ist doch klar, was das heißt: Das Urlaubsparadies liegt gleich neben der Landebahn des örtlichen Flughafens.

Beliebter Strand? Voller Prolls.

Exklusives Ambiente? Schnitzel nicht unter zehn Euro.

Hoher Romantikfaktor? Benutzte Kondome am Strand.

Traumhafte Seenlandschaft? Mückenplage.

Fünf Minuten bis zum Meer? Da wird auch das Abwasser direkt ins Meer gepumpt.

Dynamisch? Die Disco nebenan hat bis 5 Uhr morgens geöffnet.

Auf solch billige Tricks fällt der Deutsche natürlich nicht herein – und wenn doch, plant er halt genauso sorgfältig den Feldzug gegen alles, was nicht den berechtigten Erwartungen entspricht.

Erster Abtausch: Autobahn-Rochaden

Seit den Zeiten der kaiserlichen Generäle sind die Deutschen wahre Meister der Planung – und planen sich doch immer wieder um Kopf und Kragen. Alle wissen, an welchem Tag die Schulferien beginnen, und alle beschließen, just an diesem Tag loszufahren. Das Ergebnis: ellenlange Staus und ein verlorener Tag. Ein Deutscher steht im Schnitt sechzig Stunden pro Jahr im Stau. Die Koffer sind gepackt, die Kinder werden in aller Herrgottsfrühe aus dem Bett geworfen, der Wagen ist vollgetankt, und kaum zwei Stunden später warnt der Verkehrsfunk zum ersten Mal vor zehn Kilometern Stau. Was tun? Hier setzt nun die Schachspieler-Psyche wieder ein. Der deutsche Autofahrer reagiert sofort und ändert die Fahrtroute, die dadurch – wie das GPS ihm immer wieder in Erinnerung ruft – um einiges länger wird. Aber nachdem mindestens die Hälfte der anderen Autofahrer die Verkehrsmeldung (die übrigens stets mit der dramatischen Inbrunst einer Frontmeldung verkündet wird) ebenfalls gehört hat, verlagert sich der Stau nun von der Autobahn auf die Umgehungsstraße. Außerdem sind die Staumeldungen im Radio ohnehin nicht so ganz aktuell. Daher beschließt eine zweite Gruppe Urlaubsreisender, die Stauprognosen auszutricksen, indem sie trotzdem auf die Autobahn fährt: Ihren Berechnungen zufolge heißt die Staumeldung eigentlich, dass der Stau schon längst vorüber ist. Was dann natürlich nur dazu führt, dass sich auf der Autobahn ein weiterer Stau bildet.

Das Mittelspiel
1. Der erste Urlaubstag einer deutschen Familie

Vater: »Wie, kein Internetanschluss auf dem Zimmer? Wie soll ich denn jetzt meine Mails checken? Wo ist das nächste Internetcafé?«

Mutter: »Hier sind nicht genug Kleiderbügel. Und dieses Waschbecken hat bestimmt seit Wochen keiner mehr geputzt. Da braucht man ja eimerweise Desinfektionsmittel.«

Tochter: »Das Essen hier ist eklig. Ich esse für den Rest des Urlaubs nur noch Zwieback. Ich bin eh viel zu fett. Außerdem bleibe ich auf dem Zimmer. Mich mag ja eh keiner.«

Sohn: »Ich find's hier scheiße.«

2. Der letzte Urlaubstag einer deutschen Familie

Vater: »Denkt dran, heute beim Abendessen eure Kakerlaken aus der Streichholzschachtel zu lassen.«

Mutter: »Auf der Arbeit werden sie bestimmt alle ganz blass vor Neid, wenn sie sehen, wie braun ich bin. Schäle ich mich eigentlich am Rücken?«

Tochter: »Pedro sagt, er liebt mich. Er ist so wahnsinnig romantisch. Er will mir jeden Tag eine Mail schreiben.«

Sohn: »Ich hab ja gleich gesagt, ich find's hier scheiße.«

Endspiel

Urteil des Landgerichts Essen im Fall Familie Meyer gegen TUI: 10 % Kostenrückerstattung wegen Ungeziefers im Essen eines 3-Sterne-Hotels.

Arztpraxis Gelsenkirchen: Schwangerschaftstest bei Fräulein Meyer (15) positiv.

Der anglophile Deutsche …

… trägt Burberry (den Trenchcoat).
… hat Lederflicken auf seinem Tweed-Jackett.
… wünscht sich Geschenkgutscheine für das Versandhaus *Frankonia Jagd* zum Geburtstag.
… ist Mitglied im Anglo-German Club e.V. in Hamburg.
… segelt mit seiner Yacht beim Deutsch-Britischen Yacht Club und tut so, als würden ihm die dort servierten Fish'n'Chips schmecken.
… besitzt einen schwarzen Labrador.
… bringt am Geburtstag der Queen einen Toast auf »Her Majesty« aus.
… nimmt seinen Tee mit Milch und spreizt den kleinen Finger ab, wenn er die Tasse hebt.
… sagt »Bless you« statt »Gesundheit«, wenn jemand niest.
… findet Monty Python »zum Totlachen«.
… lässt stets den untersten Westenknopf offen.

Der germanophile Engländer …

…

Ich will Spaß, ich geb Gas

Kein Volkssport verlangt so viel Einfallsreichtum wie der Versuch, sich auf der Autobahn die Polizei vom Leibe zu halten: der neue Blitzkrieg. Harry, mein freiberuflicher Journalistenfreund, erläuterte mir die deutsche Kunst des Autobahnens, als wir mit seinem aufgemotzten Journalistenschlitten (Massagesitze, Whirlpool) zum Interviewtermin mit Michael Schumacher fuhren.

»Deutsche Autobahnen sind eine Wissenschaft für sich, und jeder, der auf ihnen bestehen will, sollte unbedingt die Grundregeln beherrschen«, sagte Harry und nahm riskanterweise die Hände vom Lenkrad, um die Regeln an den Fingern abzuzählen.

»Vor allem muss man seinen Feind kennen. Na ja, klar wissen wir, wer das ist. Aber man muss auch seinen genauen Standort kennen.« Sprich: Polizeifunk. Er fummelte an seinem BMW-Autoradio herum. Kaum hatte er die Ländereinstellung auf japanische Frequenzen umprogrammiert – indem er erst »TP« und dann »Area Japan« drückte –, hörten wir tatsächlich binnen Sekunden die knisternde Stimme eines Bullen.

»Dann musst du dein Nummernschild abdecken. Ich nehme am liebsten Wella-Haarspray – das reflektiert das Blitzlicht und versaut so das Polizeifoto. Aber Vorsicht: Auf nasser Fahrbahn kann es sein, dass das Spray leicht abgewaschen wird. Alternativ«, fuhr

Harry fort, »kann man auch ein großes Laubblatt drüberkleben. Besonders gut eignet sich Ahorn.«

»Oder man sprüht Kunstschnee über die Nummer«, schlug ich vor. Langsam fand ich Gefallen an der Sache.

»Das nimmt dir keiner ab«, sagte Harry. »Denk an die Klimakatastrophe. Schnee ist was von gestern. Aber versuch's mal mit Folgendem: Zieh eine Alditüte übers Nummernschild, und wenn dich die Polizei anhält, behauptest du, die wär von irgendeinem Rastplatz dorthin geweht. So machen es viele Deutsche. Wobei ich ehrlich gesagt lieber 200 Euro Strafe zahlen würde, als mich mit einer Alditüte erwischen zu lassen.«

»Manche Deutsche legen sogar eine Vollbremsung hin, wenn sie eine Polizeikontrolle zu spät gesehen haben und schon geblitzt wurden. Die Bullen brauchen nämlich zwei Messungen, und wenn sich die zweite deutlich von der ersten unterscheidet, gilt das Ganze als Fehlmessung. Ich habe schon jede Menge Unfälle erlebt, die auf diese Weise entstanden sind. Schon ein komisches Volk, diese Krauts.«

Aber Harry hatte noch mehr zu berichten. »Anscheinend gibt es auch Leute, die ihre Identität verschleiern, indem sie sich einen großen Sonnenblendstreifen auf die Windschutzscheibe kleben, einen Liverpool-Wimpel an den Rückspiegel hängen und eine Sonnenbrille aufsetzen. Das ist allerdings nicht gerade die ästhetische Variante.«

»Ich selbst bin ja eher ein Freund von Fahrgemeinschaften. Man bildet dabei so eine Art zwanglose Speedy-Gonzales-Gruppe. Der erste Wagen räumt die ganzen Schnecken aus dem Weg, damit der Rest der

Gruppe ohne zu bremsen vorwärtskommt. Entspannte Angelegenheit. Nach 'ner Weile wechselt man dann die Positionen, und jemand anders macht die Pionierarbeit. Ich mag das, Kolonne fahren – hat so was Afrika-Korps-Mäßiges.«

Wir rasten weiter zu unserem Interviewtermin. Zweimal setzten wir uns eine Sonnenbrille auf. Einmal holten wir das Haarspray raus. Schumi kam natürlich zu spät. Er sei im Stau steckengeblieben, war seine Ausrede.

Ein deutsches Idyll: Cornwall

Reality Check Nummer eins: Am Sonntagabend werden den deutschen Fernsehzuschauern noch mehr Lügen aufgetischt als üblich. Der größte Betrug ereilt sie in Gestalt von Rosamunde Pilchers schwülstigen Liebesgeschichten. Wo stets ein robuster Aristokrat mit Tweed-Sakko aus seinem Sportwagen Marke Morgan steigt und dabei glatt den Charme und die schlummernde Erotik der scheuen jungen Frau übersieht, die als Assistentin seiner reichen, aber im Grunde bösartigen Verlobten arbeitet. Und so nimmt die Geschichte ihren Lauf und lässt freiwillig kein Klischee aus: weder den Golden Retriever, der die Verlobte nicht leiden kann, noch den Austausch von Blicken zwischen dem attraktiven Aristokraten und dem schüchternen Mädchen aus der Arbeiterklasse, und natürlich schon gar nicht die ausgedehnten Spaziergänge an der wildromantischen Küste Cornwalls.

Wenn deutsche Frauen bei einer Tasse heißer Schokolade heulend vor dem Fernseher sitzen und sich solche ZDF-Schmonzetten ansehen wollen, habe ich damit kein Problem. Nein, ein Problem habe ich nur mit Cornwall. Besser gesagt mit seiner TV-Version. Denn das deutsche Fernsehen hat aus Englands westlichster Grafschaft ein einziges Disneyland gemacht: große Herrenhäuser mit verschwiegenen Türmchen und Blick auf den Atlantik; herrlich gepflegte Rasenflächen; grundehrliche Fischer, die mit ihrem Charme bezaubern; Straßen, auf denen man das Gaspedal seines Aston Martin mal so richtig durchtreten kann; Herzöge und Herzoginnen. Tausende von deutschen Frauen gehen Jahr für Jahr auf Pilgerfahrt ins Pilcherland. Manche träumen sogar von einer Hochzeit in Weiß auf den Klippen. Wären sie mal besser zu Hause geblieben. Und hätten Tatort geguckt statt diesen Pilcher-Kitsch. Denn diese Klippen werden von der schlimmsten Sorte britischer Touristen bevölkert. Selbst die Ballermann-Briten tun so was nicht: die Plastikeimer mit den Produkten ihrer morgendlichen Darmentleerung nehmen (die chemische Toilette des Campingwagens war kaputt) und einfach über die Klippen auf den Strand kippen. Ich möchte nicht die romantische Heldin sein, die da unten steht.

Und was die geheimnisvollen Schlösser angeht: Davon gibt es bloß drei – allesamt an japanische Hedge-Fonds vermietet, die ihre Hunde auf einen hetzen, wenn man sich dem Haupteingang auch nur nähert. Das satte Grün findet sich nur auf den Golfplätzen und bestätigt das alte britische Vorurteil, dass man sich Cornwall am besten aus der Luft ansieht. Und die altväterlichen, Tabak kauenden Fischer gibt es so gut wie gar nicht mehr. Sie brauchen bloß mal einen Blick aufs Meer zu werfen, dann sehen Sie die großen Industrieschiffe, die alles aufsaugen, was an Fischen in diesem Teil des Atlantiks noch übrig ist. Cornwall hat mit die höchste Quote an Heroinabhängigen, Alkoholikern und Arbeitslosen in ganz Großbritannien. Ach ja, und an alleinerziehenden Müttern. Insofern hat die gute Rosamunde Pilcher vielleicht doch in einem recht: Die Menschen haben doch Sex in Cornwall. Sorry, ich korrigiere: Sie *lieben* sich.

Ein britisches Idyll: der Weihnachtsmarkt

Reality Check Nummer zwei: Jedes Jahr, wenn die Tage kürzer werden, begeben sich Zehntausende Briten auf die Suche nach dem wahren Weihnachten Richtung Deutschland. In Großbritannien ist Weihnachten so gut wie abgeschafft worden. Die Läden haben sogar am ersten Weihnachtsfeiertag offen – die Briten feiern erst einen Tag nach Heiligabend –, so dass man auch auf den letzten Drücker noch ohne weiteres einen mikrowellentauglich verpackten Truthahn und einen silbrigen Plastiktannenbaum bekommt. Auch die Tradition der *Christmas cards* ist im Schwinden begriffen und wird allmählich von Sammelmails ersetzt, die einen mit unnötig ausführlichen und leicht verzerrten Schilderungen aus dem Leben seiner Bekannten quälen (»Das vergangene Jahr war wieder mal recht erfolgreich für die Adams-Familie – Robin hat sich mit seiner Abfindung einen Jugendtraum erfüllt und einen Pub eröffnet, Rowena hat in ihrem Kleingarten einen Markkürbis gezogen, der einen Preis gewonnen hat, und der junge Bobby schlägt sich prächtig in der Entzugsklinik. Frohe Weihnachten euch allen!«). Selbst die Festumzüge am zweiten Weihnachtsfeiertag, dem *Boxing-day* (an dem in Großbritannien traditionell die Geschenke überreicht werden), wo einst rotgewandete Jäger auf dampfenden Pferden auf dem Dorfplatz Sherry tranken, bevor sie sich auf die Jagd machten – gibt es nicht mehr, seit Tony Blair im Jahr 2005 verboten hat, Füchse zu massakrieren.

Das gute alte englische Weihnachten ist also praktisch tot. Dafür haben die Briten den deutschen Weihnachtsmarkt entdeckt, der in ihren Augen die Essenz all dessen einfängt, was Weihnachten früher einmal ausgemacht hat. Schließlich war es ein Deutscher, Königin Victorias Gatte Prinz Albert von Sachsen-Coburg und Gotha, der den Christbaum in die britische Kultur eingeführt hat. Albert war zudem ein großer Sänger, der gern »O Tannenbaum« schmetterte, wenn sich die königliche Familie auf Schloss Balmoral versammelte. Im Gefolge der albertinisch-deutschen Invasion hielten auch Stechpalmen, Mistelzweige und der Brauch, einander zu beschenken, Einzug in die Haushalte des viktorianischen Englands. Es gibt einen alten englischen Reim: *The children of Nuremberg take pleasure in making/what the children of England take pleasure in breaking.* Was sinngemäß

heißt, dass die englischen Kinder genussvoll zerstören, was die Kinder aus Nürnberg mit Freude im Herzen hergestellt haben. Heute also müssen die Briten nach Deutschland kommen, um jenes verlorengegangene Stück 19. Jahrhundert wiederzufinden, als Großbritannien noch größer und gemütlicher war.

Und zunächst kommt es einem auf dem Nürnberger Christkindlesmarkt – oder einem der anderen rund ein Dutzend Billigfliegerziele – auch so vor, als wären die Deutschen ihren Wurzeln treu geblieben. Auf dem Marktplatz steht ein großer Tannenbaum (worin die meisten britischen Gemeinderäte inzwischen ein zu hohes Brandrisiko sehen), kleine Kinder singen »Stille Nacht«, und überall riecht es jahreszeittypisch nach Zimt, Orangen, Bratwürsten und Glühwein.

Wenn sie nur bereit wären, genauer hinzusehen, würden die britischen Weihnachtswallfahrer sofort erkennen, dass der Markt nicht hält, was er verspricht. Die deutsche Handwerkskunst ist längst der Globalisierung zum Opfer gefallen. Die »traditionelle« Porzellanpuppe mit den blonden Locken und den blauen Augen? Wurde in China hergestellt. Das Bernsteinarmband? Aus Polen importiert. Die Holzflugzeuge und Eisenbahnen (von den Kindern wenig geschätzt, dafür von den Erwachsenen umso mehr)? Entstanden in slowakischen Sweatshops. Das deutsche Weihnachten ist – wie man in der Managersprache sagen würde – *outgesourct* worden.

Aber was soll's, jetzt ist die Zeit des Feierns – und des fröhlichen Selbstbetrugs.

Spaghetti alla Teutonica

Als ich nach Deutschland kam, hörte ich immer wieder jemanden von »meinem Italiener« reden. Deshalb gewann ich schon bald den Eindruck, dass hier fast jeder einen Italiener adoptiert hatte – was mir einigermaßen seltsam vorkam. In Großbritannien gab es mal eine Phase, in der wir Kinder aus Biafra adoptierten; seit Angelina Jolie und Madonna sind es eher welche aus Malawi. Aber Italiener? Waren die neuerdings in der Wüste am Verhungern?

Selbst als mir endlich dämmerte, dass mit dem Italiener ein Restaurant gemeint war, blieb mir das Ganze ein Rätsel. Schon beim Hereinkommen pflegte mein deutscher Gastgeber lautstark »Emilio! *Come stai?*« auszurufen, als ob sie alte Freunde wären, die sich eine Ewigkeit nicht gesehen hatten. Tatsächlich stellte sich dann während des Essens heraus, dass

a) Emilio meinen Bekannten kaum kannte,
b) die Italienischkenntnisse meines Bekannten schon erschöpft waren, bevor die Speisekarte kam, und
c) mein Bekannter kaum zwischen Gnocchi und Knödeln, unterscheiden konnte.

Tatsache ist, dass die unzähligen Emilios und Marcos und Luigis, die zu meinen Hauptverpflegern in Deutschland werden sollten, meist selbst kaum zwischen uritalienisch und teutono-italienisch unterscheiden konnten. Sie waren vor vielen Jahren ins Land gekommen, um in einer Kugellagerfabrik zu arbeiten, und hatten entweder die Rezepte ihrer *nonna* längst vergessen oder – fatalerweise – eine Deutsche geheiratet. Es war das deutsche Äquivalent zu den *curry houses* in England, wo einem Tikka Masala und Chicken Vindaloo aufgetischt wird – Gerichte, die für die abgestumpften britischen Geschmacksknospen erfunden wurden und die kein Inder, der etwas auf sich hält, je anrühren würde.

Wieso also gehen Deutsche so gern in italienische Restaurants, wenn nicht wegen des Essens? Um Deutschland zu entkommen, natürlich. Zwei Stunden lang haben Sie einen Kellner, der mit Ihrer Frau flirtet und Sie *Dottore* nennt. Aus der Küche hört man den Koch selbstvergessen *O sole mio* trällern. Kinder werden als kleine Wunder betrachtet, die nie aufhören, einen zu faszinieren – und nicht als Fall für den Kammerjäger. Und statt dem Gast ein »Na, satt geworden?« entgegenzubellen, bietet ihm der Padrone einen Grappa »auf Kosten des Hauses« an. Natürlich ist der Preis dieses Digestifs (Gegengifts)

bereits in der Kalkulation des überteuerten deutsch-italienischen Freundschaftsmenüs enthalten, doch die Illusion ist perfekt. Für kurze Zeit scheint die sizilianische Sonne in Ihr Leben, ohne dass Sie den ganzen Reiseärger in Kauf nehmen müssen.

Ein Jahr in Deutschland

Januar: Ein neues Jahr beginnt – und das alte endet mit *Dinner for One*. Betrunkener Butler, alte adlige Lady, abwesende Gäste, eine Andeutung von Sex. *Same procedure as every year.*

So sieht es drinnen aus. Draußen auf der Straße herrschen bürgerkriegsähnliche Zustände wie in einer beliebigen Hauptstadt im Nahen Osten: überall Qualm, Feuerwerkskörper, die auf fahrende Autos abgefeuert werden, tote Hunde am Straßenrand. Jedes Jahr büßen an Silvester mindestens zwölf Kinder mindestens ein Auge ein. *Same procedure as every year.*

Februar: Karneval. Banker im Cowboy-Outfit, Heidi Klum im Schlangenkostüm und ein Mensch mit Angela-Merkel-Maske, der einen anderen Menschen mit Edmund-Stoiber-Maske küsst. Ganz spontane Fröhlichkeit, die im Rheinland schon seit dem 11.11. um 11 Uhr 11 geplant wird. Alaaf! *A laugh?* Jetzt ist der allerbeste Zeitpunkt für eine Reise an den Nordpol.

März: Regen, Schnee, aber ganz bestimmt kein Frühlingswetter. Scheißmonat.

April: Ostern. Man gedenkt der Kreuzigung und Auferstehung Jesu Christi, indem man goldene Lindt-Hasen anbetet, Eier versteckt und sich den Bauch mit

Marzipan vollschlägt. Skinheads christlicher Gesinnung bekommen Terminprobleme, wenn Ostern zufällig einmal auf den 20. April fällt, Führers Geburtstag.

Mai: Muttertag – der kürzeste Tag des Jahres. Morgens darf die glückliche deutsche Mutter zehn Minuten lang ihr Frühstück im Bett genießen (halbrohes Frühstücksei, verbrannter Toast), kriegt einen Strauß Blumen von der Tankstelle und ein selbstgemaltes Bild, auf dem sie aussieht wie ein Teletubby. Anschließend muss sie aufstehen und das Chaos beseitigen, dann das Mittagessen zubereiten, die Waschmaschine anstellen, die Kinder daran hindern, sich zu prügeln, die Betten machen, die Fahrräder aus der Garage holen, den Hund füttern – und schließlich noch ihre Mutter anrufen.

Kurz nach dem Muttertag folgt dann meistens der sogenannte Vatertag, wenn deutsche Männer Christi Himmelfahrt begehen und sich gleichzeitig von den Strapazen ihrer Hilfstätigkeiten im Haushalt erholen, indem sie einen Bollerwagen mit Bierkästen hinter sich herziehen und sich ins Koma saufen.

Juni: Christopher Street Day. Männer ziehen sich an wie Frauen, und Frauen küssen Frauen. Und der Regierende Bürgermeister mittenmang. Ein ganz normaler deutscher Sommertag.

Juli: Zeit für die Sommerloch-Redakteure von »Spiegel« und »Stern«, eine neue Volkskrankheit zu erfinden: »Volkskrankheit Migräne!« oder »Volkskrankheit Rückenschmerzen!« Am besten noch mit einer nackten Frau auf dem Titel. Aus rein aufklärerischen Gründen, versteht sich.

August: Endlich! Die Jagdsaison ist eröffnet! Feuer frei auf das junge Rotwild! Raus mit den Knarren, Jungs. Der August ist zum Schießen da. Und alle anderen sollten sich lieber aus den Wäldern fernhalten.

September: Über Nacht fallen ganze Bataillone von Schokoladennikoläusen bei Karstadt ein, wie Diebe im Schutz der Dunkelheit. Sie wissen, dass sie da noch nichts zu suchen haben. Aber sie kommen trotzdem. Tante Inge macht sich an die Überarbeitung ihrer Geschenkeliste für Weihnachten (den ersten Schwung hat sie schon im Januar beim Winterschlussverkauf erledigt), und RTL macht Werbung für die tollen neuen Filme im Winterprogramm (Kevin – allein zu Haus).

Oktober: Tag der Deutschen Einheit. Gott sei Dank wird der schätzungsweise nur noch die nächsten fünfzehn Jahre gefeiert. Danach gibt es vermutlich sowieso keine Deutschen mehr im Osten, stattdessen streichen nur noch die Wölfe ungehindert durch die verlassenen Erlebnisbäder und ICE-Bahnhöfe. Alle Deutschen werden dann Wessis geworden sein, Brandenburg ist nur noch eine Pufferzone zwischen Polen und dem Rest von Deutschland (Berlin kriegt seinen Insel-Status zurück!), und Sachsen wird Teil von Groß-Bayern. Also, Leute, genießt euren Tag der Einheit, solange ihr ihn noch habt. Lange wird er nicht mehr im Kalender stehen.

November: Sonne, Mond und Sterne! Der Sankt-Martins-Tag läutet die Gänsesaison ein. Endlich darf man wieder nach Herzenslust den eigenen Cholesterinspiegel anheben.

Dezember: Soso, Fest der Liebe, ja? Glotze, Glühwein, missglückte Geschenke. Die Engel sind *made in Taiwan*, und in allen Supermärkten läuft »Last Christmas« von Wham!, das zu einer Zeit eingespielt wurde, als George Michael offiziell noch auf Frauen stand.

24. Dezember, Heiligabend: Der ideale Tag, um noch einen Tannenbaum zu erstehen.
25. Dezember: Der erste große Familienkrach. Traditionell gestehen deutsche Männer ihren Frauen an diesem Tag, dass sie eine Affäre haben.
27. Dezember: Der Tag, an dem man die Weihnachtsgeschenke umtauscht, die einem nicht gefallen haben.
28. Dezember: Der Tag, an dem man die Geliebte besucht, die Weihnachten allein verbringen musste und dabei ihre eigene Version von *Dinner for One* durchgespielt hat.

Ein Sonntag in Deutschland

1. Sex am frühen Morgen, bevor die Kinder wach werden. Das war schon für den Samstagabend geplant – nach dem Abendessen mit den Duftkerzen –, aber dann sind Sie doch beim *Musikantenstadl* eingeschlafen. Volksmusik ist offenbar kein Aphrodisiakum.

2. Kleiner Sprint zum Bäcker, bevor der um 11 Uhr zumacht. Dort kaufen Sie einen Kirschstreuselkuchen vom Vortag. Die Obstfliegen folgen Ihnen bis nach Hause.

3. Sie bereiten den Sauerbraten zu, während Ihr Mann den »Presseclub« schaut: immer noch mit sechs Journalisten aus fünf Ländern, wie früher beim »Internationalen Frühschoppen«. Sie stellen fest, dass Sie sich langsam, aber sicher in Ihre Großeltern verwandeln.

4. Sie wollen im Park joggen gehen, treffen dort aber so viele Kita-Mütter, dass Sie sich schon wieder über Ihren Nachwuchs unterhalten müssen.

5. Tara und Leon aus der Kita kommen mit ihrer erschöpften Mutter zu Besuch, die über ihre Beziehungskrise reden will (und als Einzige im Park gefehlt hat). Sie weint in ihren Kaffee. Währenddessen schmieren ihre Kinder, unterstützt von Ihren eigenen Kindern, den Kirschstreuselkuchen auf Ihr neues weißes Sofa

und ziehen den Hund am Schwanz. Ihr Mann verzieht sich auf den Dachboden, um mit seiner neuen Märklin-Eisenbahn zu spielen.

6. Sie schlagen einen Sonntagsspaziergang mit der ganzen Familie vor. Die Kinder wollen sich aber lieber prügeln. Ihr Mann will lieber Sudokus lösen und schlägt vor, doch nächste Woche zu gehen, weil da verkaufsoffener Sonntag ist. Sie holen Ihre Rollerblades aus dem Schrank und stellen fest, dass ein Rad fehlt. Also machen Sie stattdessen die Wäsche.

7. Die Kinder sind im Bett: Zeit für den *Tatort*. Eine ermordete Prostituierte in Leipzig – öfter mal was Neues. Sie machen sich eine heiße Schokolade.

8. Ein Vakuum ist entstanden: Sabine Christiansen hat aufgehört und Anne Will ist Ihnen zu politisch. Sie versuchen, sich stattdessen mit Ihrem Mann zu unterhalten, und erzählen ihm von Ihren Problemen auf der Arbeit. Er scheint nachdenklich zuzuhören. Dann stellen Sie fest, dass er bloß eingeschlafen ist. Sie wecken ihn und werfen ihm mangelndes Interesse an Ihnen vor. Er erwidert, er könne überhaupt nichts dafür, er sei eben darauf programmiert, bei Christiansen einzuschlafen, selbst wenn jetzt Anne Will da säße.

9. Sie gehen mit dem Hund raus und treten schon wieder in Hundescheiße. Sie fluchen. Dann lassen Sie Ihren eigenen Hund aus Rache auch auf die Straße scheißen.

10. Sie ziehen Ihrem schnarchenden Mann die Decke weg. Und stellen den Wecker auf 6 Uhr 30.

Deutsch im Ausland (Internationale Ausgabe)

Die deutsche Sprache ist zum weltweiten Exportschlager geworden. Überall rund um den Globus werden deutsche Schlüsselkonzepte in die jeweilige Landessprache eingebaut. Doch was sagen uns diese Wörter über Deutschland selbst? Die Welt liebt deutsche Schimpfwörter, die deutsche Sprache hat in den ehemaligen deutschen Kolonien ihre Spuren hinterlassen, und preußische Tugenden stehen nach wie vor hoch im Kurs, obwohl das alte Preußen selbst längst nicht mehr existiert.

arubaito = Arbeit (Japanisch)

auspuh = Auspuff (Kroatisch)

banop = Bahnhof (Kamerunisch)

besservisseri = Besserwisser (Finnisch)

fuitajfl = Pfui Teufel (Tschechisch)

fyura = Führer (Japanisch)

glockenspiel = Soldatenslang für Brüste (Amerikanisch)

halbkaputi = bewusstlos (Kisuaheli)

hochsztapler = Hochstapler (Polnisch)

kanitzeen (kann nix sehen) = U-Boot (Afrikaans)

noiroze = Neurose (Japanisch)

pikkeru = Pickel (Japanisch)

potentsu = Potenz (Japanisch)

rinfi = Rindvieh (als Schimpfwort; Papuanisch)

schwalbe = Schwalbe (Niederländisch; gemeint ist die gleichnamige Unsportlichkeit beim Fußball)

strudel = das »at«-Zeichen (@; Hebräisch)

vasistas = Oberlicht (Französisch)

vorspiel = das Bier vor der Party (Norwegisch)

Roger Boyes

My dear Krauts

Wie ich die Deutschen entdeckte

Originalausgabe

ISBN 978-3-548-26475-2
www.ullstein-buchverlage.de

Rasant und komisch erzählt *Times*-Korrespondent Roger Boyes von den aufregenden Abenteuern eines Engländers in Berlin, dem neben diversen Liebes- und Finanzproblemen vor allem eines Sorgen bereitet: Sein Vater, ehemaliger Bomberpilot der Royal Air Force im Zweiten Weltkrieg, hat angekündigt, den »verlorenen Sohn« in Germany zu besuchen und herauszufinden, wie das so ist, ein Leben unter den »Krauts« zu führen …

UB364

ullstein

Jan Weiler

Maria, ihm schmeckt's nicht!

Geschichten von meiner italienischen Sippe

Originalausgabe

ISBN 978-3-548-26426-4
www.ullstein-buchverlage.de

»Als ich meine Frau heiratete, konnte ihre süditalienische Familie leider nicht dabei sein. Zu weit, zu teuer, zu kalt. Schade, dachte ich und öffnete ihr Geschenk. Zum Vorschein kam ein monströser Schwan aus Porzellan mit einem großen Loch im Rücken, in das man Bonbons füllt. Menschen, die einem so etwas schenken, muss man einfach kennenlernen.«

»Göttliche Geschichten. Ein unverzichtbarer Beitrag zur deutsch-Italienischen Freundschaft. Und saukomisch.«
Stern

»Ein wunderbar witziges, warmherziges Buch. Wer noch keine italienischen Verwandten hat, wird nach der Lektüre unbedingt welche haben wollen.«
Axel Hacke

US66

ullstein

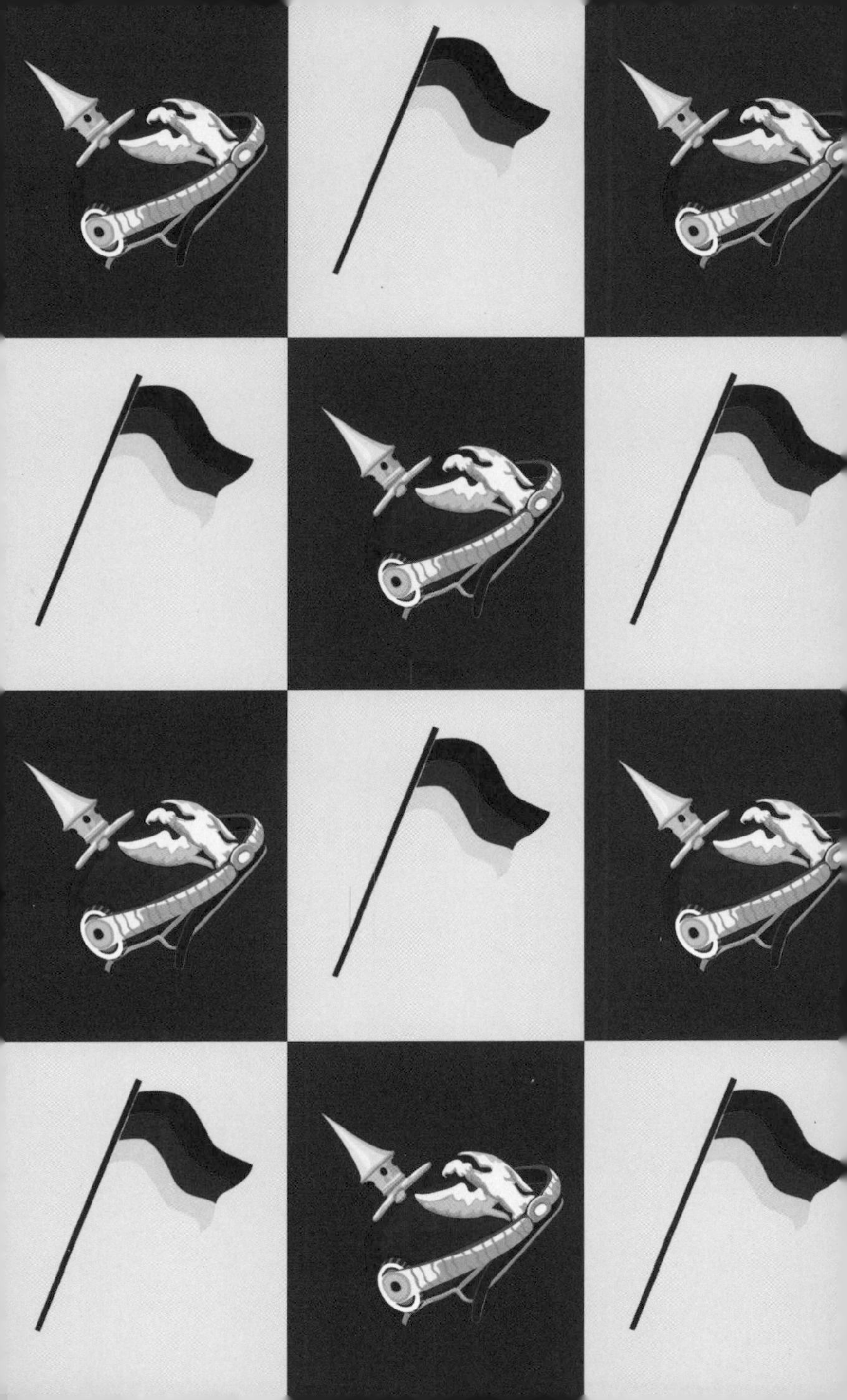